Jeux de mémoire

Thierry M. Carabin

Jeux de mémoire

Des tests de calcul mental, des épreuves de restitution, des questions à choix multiples, des processus de construction, des épreuves de mémorisation rapide... avec leurs résultats.

ÉDITON DU CLUB QUÉBEC LOISIRS INC.

Dépôt légal — Bibliothèque nationale du Québec, 1998
ISBN 2-89430-331-9
(publié précédemment sous ISBN 2-7242-5977-7)

Imprimé au Canada

Première partie

Qu'est-ce que la mémoire ?

Un mécanisme

Ce pourrait être une devinette. On ne peut la voir. On ne peut la toucher. Lorsqu'elle est présente, nous n'y pensons pas. Lorsqu'elle est absente, nous la pleurons. Qui est-ce ? La réponse est, bien entendu, la mémoire.
La mémoire pourrait être décrite comme un mécanisme permettant l'acquisition de connaissances, leur sélection, leur stockage et leur restitution ou leur utilisation. En réalité, la mémoire est décrite pour et à travers ce qu'elle permet, bien plus que pour ce qu'elle est.
Nous savons tous que la mémoire permet d'acquérir une culture, c'est-à-dire une base de références ou un savoir, autrement dit un ensemble de connaissances techniques. Grâce à elle, nous allons pouvoir acquérir des diplômes et « être ce que nous savons », c'est-

à-dire être reconnu comme détenteur d'une base de connaissances utiles. Bien évidemment, notre mémoire va nous aider à économiser du temps. Grâce à elle, nous n'aurons plus à rechercher telle information déjà mémorisée : nous pourrons l'utiliser sur-le-champ. Un homme doté d'une bonne mémoire, ayant acquis une base culturelle étendue, aura un brio que, peut-être, d'autres lui envieront.

Certains crieront à l'inégalité, prétextant une mauvaise mémoire ou des pertes de mémoire. Si les médecins mènent de multiples travaux de recherche sur la mémoire, c'est essentiellement pour tenter de répondre aux préoccupations des personnes les plus âgées. Ralentir le vieillissement est un objectif constant pour la médecine d'aujourd'hui.

Quant à la mauvaise mémoire, elle fait sourire bien des instituteurs que leur expérience a amenés à faire la distinction entre les élèves qui étudient leurs leçons et les autres. Tout montre en effet que la mémoire s'éduque, se forme, se met en forme ou se maintient en forme grâce à l'exercice. Si les tables de multiplication apprises à l'école primaire sont utilisées quotidiennement par tout un chacun, sa vie durant, nous connaissons des textes qui, mémorisés dans l'enfance, ne seront plus utilisés à l'âge adulte. Ils auront néanmoins joué un rôle essen-

tiel dans l'apprentissage de la vie car l'instituteur ne les a pas choisis par hasard. Ils auront aussi joué un rôle essentiel dans l'apprentissage de la mémorisation, fonction vitale pour tout être humain.
On dit qu'un âne ne bute pas deux fois sur la même pierre. Cela est simplement une question de mémoire. Imaginez un instant votre vie sans mémoire. Imaginez un instant que vous deviez réapprendre sans cesse les gestes les plus élémentaires, la disposition des locaux dans lesquels vous vivez, votre numéro de téléphone...

Une mémoire objective ?

Pour le philosophe Bergson, la mémoire n'est pas une faculté indépendante, mais elle se confond avec l'esprit lui-même tant qu'il vit et dure. Pour lui, tout ce que nous avons vécu est soigneusement conservé mais tous les éléments ne peuvent être appelés par nous, soit pour une utilisation, soit pour une actualisation. Cette conservation fait l'objet de recherches et de discussions. Il est facile pour tout un chacun de constater que le souvenir n'est jamais pur ou rigoureusement objectif. Il nous suffit, pour nous en convaincre, de nous remémorer un événement et, ensuite, seulement, d'analyser un enregistrement mécanique des mêmes faits. Une photographie, un film, un enregistrement sonore ne vont jamais nous donner exactement ce que nous pensions. Nous n'avions pas remarqué que la robe de tante Berthe était violette à ce point. Nous n'avions pas prêté attention à la nouvelle monture de lunettes du cousin Léon. Il est vrai que ce personnage n'est pas, dans la famille, et de loin, celui qui capitalise notre sympathie. Un lien de cause à effet existerait-il entre ceci et cela ?

Il est peu probable que tout se fixe dans la mémoire de façon automatique. En réalité, notre vécu se fixe d'autant plus aisément qu'il nous a marqué. Telle information se fixe d'autant plus aisément qu'elle nous intéresse. Tel propos entendu à table sera tout de suite mis en mémoire, tandis que le menu passera aux oubliettes. Notre mémoire est sélective. Nous n'archivons pas tout, nous mettons en mémoire ce qui nous impressionne ou nous intéresse. Nous classons les connaissances en fonction de leur utilité ultérieure. Nous mémorisons des éléments un peu comme Monsieur Jourdain faisait de la prose : sans le savoir ou, en tout cas, sans l'avoir décidé explicitement. Nous en retenons d'autres en fonction d'un choix délibéré et d'un travail personnel. C'est le cas des connaissances acquises lors d'études.

Un circuit

Si la mémoire est insaisissable, elle a néanmoins été localisée par le corps médical. Le siège anatomique de la mémoire a été baptisé « circuit de Papez », du nom du chercheur qui l'a localisé et défini.
Débutant dans les neurones de l'hippocampe à la face interne des lobes temporaux, le circuit de Papez passe dans le fornix qui suit le troisième ventricule à la face inférieure du corps calleux, pour s'infléchir en bas et en arrière vers le corps mamillaire où il se termine. De celui-ci émanent des prolongements vers le noyau antérieur du thalamus et la face interne de l'hémisphère cérébral autour du corps calleux. Des lésions de ces organes pourront se traduire par des troubles tels que l'impossibilité d'acquérir des connaissances nouvelles, de sérieuses difficultés d'apprentissage, voire un réel défaut de mémorisation.
Si le siège de la mémoire est connu, le mécanisme par lequel le cerveau imprime l'information, pour la restituer ensuite, échappe

actuellement à nos chercheurs. Tout au moins pouvons-nous constater que des arguments sérieux amènent à établir une corrélation entre l'acquisition de connaissances et des modifications chimiques dans le cerveau. Des chercheurs ont mené des expériences avec des animaux de laboratoire. Ces expériences ont déjà permis d'isoler dans le cerveau du rat la trace d'un comportement acquis tel que la phobie du noir. Les recherches sur le système de codage en vigueur dans le cerveau seront encore longues.

Une bonne mémoire

C'est à l'âge de vingt ans que les capacités d'intégration mnésiques sont à leur sommet. Il a été constaté, au cours de recherches diverses, que les capacités d'acquisitions nouvelles baissent régulièrement avec l'âge, après le vingtième anniversaire. Par contre, il a été démontré que les connaissances mémorisées antérieurement sont bien conservées.

Il faut tout de suite faire remarquer que cela résulte de travaux de mesure objectifs et purement mécaniques. Les tests utilisés sont des tests de restitution brute de données abstraites. Cette technique de mesure fait totalement abstraction de la capacité du sujet à comprendre mieux et plus vite un problème, comme de son aptitude à relier utilement une information reçue avec des connaissances acquises antérieurement. Il est évident qu'un homme de trente ans apprend plus vite qu'un homme de vingt ans, pour diverses raisons : il dispose d'une base de références nettement plus étendue ; il dispose d'une expérience de la vie lui permettant de distinguer plus vite le nécessaire et l'essentiel ; il est généralement plus motivé parce que les connaissances sont acquises suite à un choix personnel. Un bref exemple va vous permettre de saisir cela. Une loi nouvelle ne sera pas lue de la même façon par un étudiant en droit et par un avocat chevronné. L'étudiant en droit va devoir apprendre le texte. L'avocat chevronné va, tout de suite, alors qu'il découvre le texte, faire référence à de nombreux cas issus de son expérience. Il fera jouer dans sa tête la disposition nouvelle et la jurisprudence, et aussi tout ce qu'il sait du comportement humain. Ce simple travail lui permettra de mémoriser de façon utile la loi nouvelle. L'étudiant, incapable de ce travail parce que ne disposant pas des éléments issus de l'expérience, devra s'appliquer à retenir mécaniquement le texte de la loi.

Le travail mécanique de répétition est la méthode de base pour toute mise en mémoire. Remarquez que c'est le principe de base qui régit la répétition des messages publicitaires. C'est ce que nous faisons instinctivement lorsque nous voulons retenir un numéro de téléphone qui vient de nous être confié.

Plus une personne est motivée par ce qu'elle apprend, plus la qualité de la mise en mémoire est grande. De même, plus une personne est attentive et particulièrement vigilante, meilleure est la qualité de la mémorisation. Personne ne sera surpris de la piètre performance d'un individu fatigué, tendu, anxieux, stressé ou inorganisé. La confusion mentale ne facilite pas la sélection et le classement des données !

La sensibilité joue un rôle essentiel. Un fait qui nous laisse indifférent ne sera pas très bien mémorisé. Un vécu désagréable sera plus facilement oublié qu'un vécu agréable, à intensité émotionnelle équivalente.

Les vers sont plus aisés à retenir que la prose. Une phrase construite est plus aisée à retenir que l'ensemble des mots qui la composent, si ces mots sont donnés en ordre dispersé. Toute analogie, toute relation logique améliore la qualité de la mémorisation.

De l'oubli

L'absence des éléments présentés ci-dessus rend plus difficile le travail de mémorisation. Certains de ces éléments, inversés, ont alors un effet négatif. Néanmoins, il convient de distinguer une absence de mémorisation et l'oubli qui, lui, est la disparition de ce qui avait été enregistré auparavant.

L'oubli est aussi le résultat d'un choix volontaire. Tout ne doit pas être retenu la vie durant. L'exemple le plus simple est celui du numéro de téléphone que je ne retiens que le temps nécessaire à l'obtention de la communication. Un autre exemple est le code secret de votre carte bancaire. Si ce code secret est modifié, vous oublierez l'ancien, et cela est fort souhaitable !

Par ailleurs, l'oubli peut être définitif ou temporaire et correspondre à un refoulement ou à une inhibition. Freud a beaucoup étudié ce domaine et vous trouverez dans ses écrits nombre de cas particulièrement significatifs de ce type de phénomène.

Différentes mémoires

Généralement, nous distinguons plusieurs types de mémoires. De la mémoire olfactive à la mémoire tactile en passant par la mémoire

auditive, tous nos sens sont concernés. Les scientifiques, eux, traitent de la mémoire. En effet, si les données sont emmagasinées par des milliers de neurones très différenciés (visuels, acoustiques et autres), le mécanisme de la mémoire est unique.
Si un individu donné a une très bonne mémoire olfactive, une première conclusion s'impose : il a un sens olfactif développé. Une autre conclusion se présente tel un corollaire de la première : il a un intérêt particulier pour ce type de perception. Vous avez certainement déjà remarqué que les aveugles développent leur sens acoustique et leur sens tactile de façon à tenter de compenser l'absence de vue. De même, vous avez déjà remarqué que les personnes qui sollicitent régulièrement leur odorat dans le cadre de leurs activités développent leur sens olfactif bien au-delà de la moyenne des individus. Vous avez certainement déjà entendu un œnologue ou un parfumeur vous expliquer qu'un nez s'éduque...

En conclusion

La mémoire est une mécanique qui se construit. Son bon entretien nécessite une stimulation permanente.

Les performances de la mémoire peuvent être développées et maintenues jusqu'à un âge avancé, sauf cas de maladies particulièrement graves ou d'accidents générant des lésions.
Un esprit curieux, pratiquant l'analogie et recherchant les liens logiques, développe considérablement ses capacités mnésiques. Les jeux et tests de ce livre constitueront pour vous un bon entraînement.

Deuxième partie

Mesurez votre mémoire

Dans cette deuxième partie, il vous est proposé de mesurer votre mémoire. Cette mesure s'effectue à partir d'un ensemble de tests, présentés ici à la suite l'un de l'autre et numérotés alphabétiquement. Chaque test vous apportera un nombre de points calculé en fonction de vos réponses. Le total des points acquis dans les différents tests vous permettra d'apprécier la qualité de votre mémoire.
Vous n'êtes absolument pas contraint d'effectuer tous les tests de cette partie le même jour. Néanmoins, il vous est conseillé de ne pas interrompre un test en cours de route. Le premier élément est donc le test A.

Test A
Questionnaire général

Répondez à toutes les questions dans l'ordre de présentation. Si vous ne trouvez pas une réponse, inscrivez une petite croix en marge et passez à la question suivante. Si, plus tard, vous trouvez la réponse à la question, vous pourrez revenir noter votre réponse, sans toutefois effacer la petite croix en marge. En effet, celle-ci vous permettra de distinguer les réponses données à la première lecture des réponses apportées après un certain temps.

Une autre chose peut se produire. Vous pouvez avoir envie de revenir sur une réponse déjà donnée parce que vous pensez que la réponse déjà écrite est erronée. Dans ce cas, n'effacez pas votre premier choix mais ajoutez une mention ainsi libellée : « 2 (votre nouvelle réponse) ». Il sera très intéressant pour vous, lors de l'évaluation de ce test, de constater soit que votre première idée était la bonne, soit que votre seconde réponse était aussi inexacte que la précédente, soit que vos réponses étaient toutes correctes, soit les autres possibilités, mais surtout de bien noter que vous avez hésité. Si la proposition de « réponses correctes » évoquées ci-dessus vous surprend, pensez que vous pouvez parfaitement désigner une personne par son nom patronymique et ensuite par son pseudonyme. Il est intéressant alors de savoir que vous avez sciemment ajouté l'un des deux parce que vous connaissez les deux et n'ignorez pas qu'il s'agit d'une seule et même personne parfaitement identifiée par vous, ou de comprendre que vous avez hésité parce que votre mémorisation était imparfaite.

Toutes les questions que vous allez rencontrer dans ce questionnaire sont des questions pour lesquelles les réponses sont connues ou doivent l'être par tout individu ayant fréquenté l'école jusqu'à seize ans. Ce test n'est donc pas adapté aux jeunes de douze ans et moins qui n'ont pas encore reçu toutes les connaissances appelées par le questionnaire. Néanmoins, ils peuvent répondre aux questions couvrant des domaines déjà parcourus. Il conviendra, lors de l'évaluation, d'apprécier leur score en fonction du nombre de questions réellement utiles et pertinentes pour eux.

Le questionnaire

1. Qui a été élu Premier ministre du Québec en 1976?

Réponse : ....

2. Quelle est la province la plus à l'ouest au Canada?

Réponse : ....

3. Dans quelle région du Québec se trouve le rocher Percé?

Réponse : ....

4. Dans quelle région du Québec se situe Hull?

Réponse : ....

5. Le mont Saint-Sauveur et le mont Tremblant se trouvent-ils en Estrie?

Réponse : ....

6. Quelle ville importante se situe à l'embouchure de la rivière Saint-Maurice?

Réponse : ....

7. Quelle rivière rejoint le fleuve Saint-Laurent à Sorel?

Réponse : ....

8. Qui a dit : « Je vous répondrai par la bouche de mes canons »?

Réponse : ....

9. Que signifie le sigle « TPS »?

Réponse : ....

10. Que signifie le sigle « PC » dans le domaine de l'équipement de bureau?

Réponse : ....

11. Qui est le fondateur du Bloc québécois?

Réponse : ....

12. Quelle rivière arrose Chicoutimi?

Réponse : ....

13. Quelle rivière arrose Shawinigan?

Réponse : ....

14. Que signifie le sigle « ALENA »?

Réponse : ....

15. La ville de Québec se trouve-t-elle au nord ou au sud du fleuve Saint-Laurent?

Réponse : ....

16. La ville de Trois-Rivières se trouve-t-elle en amont ou en aval de Sorel?

Réponse : ....

17. Que signifie le sigle « CSN »?

Réponse : ....

18. Quelle organisation mondiale a été créée à la suite de la Première Guerre mondiale?

Réponse : ....

19. En 1996, la France est-elle plus ou moins peuplée que le Canada?

Réponse : ....

20. Laquelle de ces trois provinces a-t-elle la superficie la plus grande : Terre-Neuve, la Nouvelle-Écosse ou le Nouveau-Brunswick?

Réponse : ....

21. En 1996, laquelle de ces deux villes est la plus peuplée : Laval ou Québec?

Réponse : ....

22. Laquelle de ces villes se trouve le plus au nord : Baie-Comeau, Sept-Iles ou Chicoutimi?

Réponse : ....

23. Quelle rivière arrose Drummondville?
Réponse : ....

24. Que signifie le sigle « ONU »?
Réponse : ....

25. En 1991, recensait-on en Ontario plus de huit millions d'habitants ou moins de huit millions?
Réponse : ....

26. Quelles sont les couleurs du drapeau italien?
Réponse : ....

27. Qu'ont en commun les couleurs des drapeaux des États-Unis et de la France?
Réponse : ....

28. Quelle rivière arrose Thetford Mines?
Réponse : ....

29. Laquelle de ces trois villes est située plus au sud que les deux autres : Rouyn-Noranda, Chicoutimi, Rivière-du-Loup?
Réponse : ....

30. Quelle est la capitale de la Grèce?
Réponse : ....

31. Philadelphie et Washington se situent-elles sur la côte Est ou sur la côte Ouest des États-Unis?

Réponse : ....

32. La Beauce se situe-t-elle au nord ou au sud du fleuve Saint-Laurent?

Réponse : ....

33. En quelle année Jean Lesage a-t-il été élu Premier ministre du Québec?

Réponse : ....

34. À quelle date s'est tenu le premier référendum québécois sur la souveraineté-association?

Réponse : ....

35. Qui a été le maître d'oeuvre de la nationalisation de l'électricité au Québec?

Réponse : ....

36. En quelle année a eu lieu la célèbre bataille des Plaines d'Abraham?

Réponse : ....

37. Qui est le fondateur de la ville de Québec?

Réponse : ....

38. À quelle date fut signé l'armistice mettant fin à la Première Guerre mondiale (1914-1918)?

Réponse : ....

39. En quelle année a eu lieu le débarquement de Normandie où ont trouvé la mort de nombreux Canadiens?

Réponse : ....

40. Où a été signé le traité par lequel, en 1763, la France a cédé le Canada à l'Angleterre?

Réponse : ....

41. En quelle année Pierre Elliott Trudeau a-t-il été élu Premier ministre du Canada pour la première fois?

Réponse : ....

42. Quelle ville est située au confluent des rivières Saint-François et Magog?

Réponse : ....

43. Quelle est la capitale de l'Espagne?

Réponse : ....

44. Quelle est la capitale du Portugal?

Réponse : ....

45. Quelle est la capitale de la Belgique?
Réponse : ....

46. Que signifie le sigle « OTAN »?
Réponse : ....

47. Dans quelle province du Canada se trouve la ville de Calgary?
Réponse : ....

48. Quelle est la capitale du Nouveau-Brunswick?
Réponse : ....

49. Quelle est la capitale du Manitoba?
Réponse : ....

50. Quelle est la capitale de la Colombie-Britannique?
Réponse : ....

51. Quel est le Grand Lac manquant dans cette liste : Érié, Supérieur, Huron, Ontario?
Réponse : ....

52. Dans quelle étendue d'eau se jette la Grande Rivière?
Réponse : ....

53. Dans quelle province se situe la ville de Saint-Boniface?

Réponse : ....

54. Les chutes du Niagara sont situées entre deux des Grands Lacs. Lesquels?

Réponse : ....

55. Quelle est la province située juste à l'ouest du Manitoba?

Réponse : ....

56. De ces trois villes, laquelle est située le plus au nord : Boston, New York, Philadelphie?

Réponse : ....

57. En 1996, combien de pays sont «membres permanents» du Conseil de sécurité de l'ONU?

Réponse : ....

58. Qui a succédé à Jimmy Carter à la présidence des États-Unis?

Réponse : ....

59. Qui a succédé à John F. Kennedy à la présidence des États-Unis?

Réponse : ....

60. Qui a succédé à René Lévesque comme Premier ministre du Québec?
Réponse : ....

61. Qui était Premier ministre du Québec pendant la Crise d'octobre 1970?
Réponse : ....

62. Qui a fondé l'Union nationale?
Réponse : ....

63. Sur quel sujet portait le vote qui opposa fortement le Québec aux provinces anglophones en avril 1942?
Réponse : ....

64. Quel est l'auteur du *Malade imaginaire*?
Réponse : ....

65. Quel est l'auteur de *L'Avalée des avalés*?
Réponse : ....

66. Quel est l'auteur de la pièce *Les Belles-soeurs*?
Réponse : ....

67. Quel est l'auteur de *Maria Chapdelaine*?
Réponse : ....

68. Quel est l'auteur des *Malheurs de Sophie*?

Réponse : ....

69. Quel est l'auteur d'*Une saison dans la vie d'Emmanuel*?

Réponse : ....

70. Qui a créé le personnage de Tintin?

Réponse : ....

71. Qui a créé le personnage de Maigret?

Réponse : ....

72. Qui a créé le personnage d'Astérix?

Réponse : ....

73. Qui a sculpté *Le Penseur*?

Réponse : ....

74. Qui a peint *L'Étang aux nymphéas*?

Réponse : ....

75. Qui a peint *Les Iris et les Tournesols*?

Réponse : ....

76. En 1996, quelle est la durée du mandat d'un gouvernement au Québec?

Réponse : ....

77. Qui est le fondateur de Montréal, alors appelée Ville-Marie?

Réponse : ....

78. Complétez l'expression suivante : manger les   par la racine.

Réponse : ....

79. Complétez l'expression suivante : prendre le   aux dents.

Réponse : ....

80. Complétez l'expression suivante : courir deux   à la fois.

Réponse : ....

81. Complétez l'expression suivante : couper les cheveux en   ?

Réponse : ....

82. Qui fut le premier Premier ministre du Canada?

Réponse : ....

83. Qui a perdu la bataille des Plaines d'Abraham?
Réponse : ....

84. Quel intendant a donné un essor considérable à la Nouvelle-France de 1665 à 1672?
Réponse : ....

85. En quelle année Christophe Colomb est-il arrivé en Amérique?
Réponse : ....

86. Dans quelle province se trouve Banff : en Colombie-Britannique, en Alberta ou en Saskatchewan?
Réponse : ....

87. Qui prononça « Vive le Québec libre! » du haut du balcon de l'hôtel de ville de Montréal?
Réponse : ....

88. Qui a été élu Premier ministre du Québec en 1939, défaisant Maurice Duplessis?
Réponse : ....

89. Quel est l'auteur de *Bonheur d'occasion*?
Réponse : ....

90. En quelle année Jacques Cartier a-t-il pris possession du territoire de la Nouvelle-France?

Réponse : ....

• *Remarque*

Si vous le souhaitez, vous pouvez, avant de passer à la correction, revoir rapidement les questions pour lesquelles vous n'avez pu donner de réponse. Vous trouverez très facilement ces questions si, comme proposé, vous les avez marquées d'une croix.

► Évaluation de votre score

Pour l'évaluation de votre score, vous devez d'abord vérifier que la réponse donnée par vous est correcte. Pour cela, référez-vous à la liste des réponses correctes présentée dans les pages qui suivent.

– Si votre réponse est incorrecte, vous n'avez droit à aucun point.
– Si votre réponse est correcte, et si vous l'avez donnée dès la première lecture, vous marquez cinq points.
– Si votre réponse est correcte, et si vous l'avez donnée en seconde lecture (présence d'une croix), vous marquez quatre points.

– Si vous avez donné deux réponses, dont la réponse correcte, vous marquez deux points.

Pour toute réponse mal orthographiée, retirez un point, même pour les fautes dans les noms propres. En effet, toute erreur en ce domaine révèle une mémorisation imparfaite.

▶ Les réponses correctes

Les réponses correctes

1. René Lévesque
2. La Colombie-Britannique
3. En Gaspésie
4. Dans l'Outaouais
5. Non, ils sont dans les Laurentides.
6. Trois-Rivières
7. Le Richelieu
8. Frontenac
9. Taxe sur les produits et services
10. Personal Computer
11. Lucien Bouchard
12. Le Saguenay
13. Le Saint-Maurice
14. Accord de libre-échange nord-américain
15. Au nord

16. En aval
17. Confédération des syndicats nationaux
18. La Société des nations
19. Plus peuplée que le Canada
20. Terre-Neuve
21. Laval
22. Sept-Iles
23. Saint-François
24. Organisation des Nations Unies
25. Plus de huit millions d'habitants
26. Vert, blanc et rouge
27. Ce sont les mêmes couleurs.
28. La Bécancour
29. Rivière-du-Loup
30. Athènes
31. Sur la côte Est
32. Au sud
33. En 1960
34. Le 20 mai 1980
35. René Lévesque
36. En 1759
37. Champlain
38. 11 novembre 1918
39. En 1944
40. À Paris
41. En 1968

42. Sherbrooke
43. Madrid
44. Lisbonne
45. Bruxelles
46. Organisation du Traité de l'Atlantique Nord
47. En Alberta
48. Fredericton
49. Winnipeg
50. Victoria
51. Michigan
52. Dans la baie James
53. Au Manitoba
54. Érié et Ontario
55. La Saskatchewan
56. Boston
57. Cinq
58. Ronald Reagan
59. Lyndon B. Johnson
60. Pierre Marc Johnson
61. Robert Bourassa
62. Maurice Duplessis
63. Sur la conscription
64. Molière
65. Réjean Ducharme
66. Michel Tremblay
67. Louis Hémon
68. Comtesse de Ségur

69. Marie-Claire Blais
70. Hergé
71. Georges Simenon
72. Gosciny et Uderzo
73. Rodin
74. Monet
75. Van Gogh
76. Cinq ans
77. Maisonneuve
78. pissenlits
79. mors
80. lièvres
81. quatre
82. John A. Macdonald
83. Montcalm
84. Jean Talon
85. En 1492
86. En Alberta
87. Le général de Gaulle
88. Adélard Godbout
89. Gabrielle Roy
90. En 1534

Écrivez ici votre score au test A : ...
Rappel : le score maximal est 450.

Test B
Calcul mental

Cette épreuve est d'un usage classique lors de toute évaluation clinique de la mémoire d'un patient. Ce qui est mesuré n'est pas la capacité de l'individu à maîtriser des opérations mathématiques. On ne lui demande ici que des opérations arithmétiques simples faisant appel à la mémoire, par exemple aux tables de multiplication. Ces opérations sont régulièrement utilisées en interrogations par l'instituteur en deuxième année d'école primaire. Elles ne font qu'appeler des données mémorisées.
Pour l'évaluation de votre résultat, le temps intervient, écrivez donc ici l'heure à laquelle vous commencez le test : ... heures ... minutes.

Test de calcul mental

A. 8 x 4 =......	**D.** 9 x 8 =......	**G.** 49 : 7 =........
B. 7 x 6 =......	**E.** 81 : 9 =......	**H.** 54 : 6 =........
C. 5 x 6 =......	**F.** 72 : 8 =......	**I.** 63 – 7 =........

J. 30 – 6 = ...
K. 28 – 4 = ...
L. 72 – 9 = ...
M. 9 x 5 = ...
N. 8 x 6 = ...
O. 4 x 7 = ...

P. 6 x 6 = ...
Q. 8 x 8 = ...
R. 54 : 9 = ...
S. 27 : 3 = ...
T. 21 : 7 = ...
U. 40 : 8 = ...

V. 42 – 6 = ...
W. 81 – 9 = ...
X. 36 – 9 = ...
Y. 70 – 7 = ...

Pour ce test, vous ne pouvez revenir en arrière ni pour ajouter une réponse ni pour corriger une réponse. Écrivez maintenant ici l'heure à laquelle vous terminez ce test : ... heures ... minutes.

▶ Estimation de votre score

Le tableau des réponses correctes se trouve à la page 60.
Ce test est noté sur un total de deux cents points. Pour chaque réponse incorrecte, vous devez retirer dix points. Donc, si, par exemple, vous avez commis huit erreurs, vous avez un score provisoire de cent vingt points.
Calculez maintenant le temps qui vous a été nécessaire pour ce test. Retirez dix points pour toute minute utilisée, au-delà de la dixième minute. Si, par exemple, vous avez mis douze minutes à répondre, vous devez retirer vingt

points. Si votre score provisoire était de cent vingt, comme dans l'exemple ci-dessus, votre score définitif sera de cent.
Calculez votre score définitif pour le test B et indiquez-le ici : ...

Test C
Épreuve de restitution

Des éléments vous seront donnés qu'il vous sera demandé de restituer. Pour faciliter votre travail, munissez-vous d'un rectangle de papier fort, parfaitement opaque, et de dimensions au moins égales à celles du livre. Ne passez à la suite qu'après vous être muni de ce cache.
Prenez également un chronomètre ou, à défaut, une montre indiquant les secondes. Vous avez déjà un stylo.
Vous disposez maintenant de l'équipement nécessaire. Faites le test en vous laissant guider par les questions.

Question n° 1

Lisez attentivement ces trois numéros de téléphone pendant trente secondes maximum :

Téléphone A: 383-9242
Téléphone B: 405-1627
Téléphone C: 201-8161

Cachez maintenant ces trois numéros de téléphone.

Écrivez les numéros ici :

Téléphone A : ....

Téléphone B : ....

Téléphone C : ....

Vérifiez, en soulevant le cache, que vos trois réponses sont correctes. Faites attention. Une réponse n'est correcte que si tous les chiffres sont à leur place. Écrivez ici le nombre de réponses correctes : ...

Question n° 2

Lisez attentivement ces trois plaques minéralogiques pendant trente secondes maximum :

Plaque A : NJY 058

Plaque B : KIC 865

Plaque C : FTE 829

Cachez maintenant ces trois numéros minéralogiques.

Restituez ces trois numéros, dans l'ordre :

Plaque A : ....

Plaque B : ....

Plaque C : ....

Vérifiez, en soulevant le cache, que vos trois réponses sont parfaitement correctes, au détail près. Écrivez ici le nombre de réponses correctes : ...

Question n° 3

Lisez attentivement ces trois nombres, pendant trente secondes au plus :

Nombre A : 345.987
Nombre B : 456.765
Nombre C : 232.989

Cachez maintenant ces trois nombres.

Écrivez ces trois nombres, dans l'ordre, ci-dessous, en ayant toutefois soin d'inverser l'ordre de tous les chiffres. (Exemple : 123 donnera 321.)

Nombre A : ....
Nombre B : ....
Nombre C : ....

Vérifiez, en soulevant le cache, que vos trois réponses sont correctes et que vous avez bien inversé l'ordre des chiffres.
Écrivez ici le nombre de réponses correctes : ...

Question n° 4

Lisez attentivement cette liste de fruits et légumes, pendant un maximum de trente secondes :

Batavia, kiwi, haricot, orange, carotte, pomme, endive, banane.

Cachez maintenant cette liste de fruits et légumes.
Restituez cette liste en séparant légumes et fruits.

Légumes : ....
Fruits : ....

Soulevez le cache et vérifiez que vous avez bien restitué tous les fruits et légumes de la liste.
Écrivez ici le nombre de fruits et légumes correctement restitués : ...

Question n° 5

Lisez attentivement la liste ci-après pendant une minute.

A. Fibre - coton
B. Métal - cuivre
C. Coque - noix
D. Couvert - couteau
E. Tissu - drap

Cachez maintenant cette liste.
Restituez maintenant cette liste, en respectant la numérotation, et en inversant les éléments au

sein des couples. *Exemple :* « cochon - cuisse » devra être restitué sous la forme « cuisse - cochon ».

A. .... - ....
B. .... - ....
C. .... - ....
D. .... - ....
E. .... - ....

Soulevez le cache pour vérifier la qualité de votre restitution.
Écrivez ici le nombre d'éléments correctement restitués : ...

Question n° 6

Étudiez attentivement la liste qui suit pendant deux minutes, temps maximum.

Cochon - truie
Bœuf - faux-filet
Métier - profession
Brasserie - garçon
Poule - œuf
Mystère - mirage
Ferme - maison
Graves - vin
Souris - fromage
Hirondelle - printemps

Cachez maintenant cette liste. Vous l'avez dans la tête, il ne vous est plus nécessaire de la voir sur le papier !

Il vous est demandé de reconstituer les couples en apportant à chaque élément le complément qui lui a été attribué plus haut. Écrivez les compléments dans l'ordre de présentation ci-dessous. Ne passez à la ligne suivante que lorsque vous avez trouvé et écrit le complément recherché.

Printemps - ....
Souris - ....
Vin - ....
Ferme - ....
Mirage - ....
Œuf - ....
Garçon - ....
Métier - ....
Bœuf - ....
Truie - ....

Question n° 7

Lisez la petite histoire que voici, sans y consacrer plus de deux minutes :

Lisette semble succomber sous le poids de ses paniers à provisions. Oh ! cela ne l'empêche pas de marcher tête haute. Simplement, pour qui la connaît un peu, il est aisé de constater que l'allure est plus faible. Également, les muscles tendus témoignent d'un effort particulièrement difficile. Est-ce pour cette raison qu'une camionnette vient de s'arrêter, tout juste après l'avoir dépassée ? Peut-être, c'est le boulanger. Le père Dupain est capable de mettre un nom sur chaque visage, même sur ceux qui vont chercher leur pain au supermarché voisin : « Venez. Le taxi n'est pas confortable, mais dans trois minutes vous serez à la maison. Vous en avez acheté des choses, dites. Ce n'est pas aujourd'hui que je vais faire des affaires avec vous si vous avez déjà tout dépensé !

– J'ai fait le plein de fruits et de légumes. Mon père est à la maison cette semaine. Et lui, si vous ne lui servez pas une bonne soupe de légumes frais, c'est comme s'il n'avait pas à dîner. Vous devriez vous arrêter en fin de tournée pour prendre un verre avec lui. Il sera très content de vous voir.

– C'est noté. Je goûterai aussi à la soupe. Vous avez tellement acheté qu'il y en a pour un régiment. Qu'est ce que vous avez pris ? Des poireaux, des carottes, des oignons, des pommes de terre ?

– J'ai pris tout ça, bien sûr. J'ai aussi acheté des fraises et des cerises pour des confitures. Elles ne sont plus très belles, c'est la fin de la saison, alors M. Fructor m'a fait une offre pour les deux cageots qui lui restaient.
– Vous avez bien fait. Je viendrai aussi pour l'odeur des confitures.
– Vous êtes chez vous.
– Tenez, prenez ce pithiviers, on le partagera avec votre papa ce tantôt.
– Merci. Nous vous attendrons pour le café. »

Vous avez terminé votre lecture. Prenez votre cache et dissimulez ce texte.
Ensuite, répondez aux questions ci-après :

– Comment s'appelle l'héroïne ?

....

– Comment s'appelle l'homme qui lui parle ?

....

– Comment s'appelle le marchand de fruits ?

....

– Quels fruits a-t-elle achetés ?

....

– Quels légumes a-t-elle achetés ?

....

Les questions s'arrêtent ici. Retirez le cache et vérifiez que vous avez répondu correctement et entièrement à toutes les questions. Assurez-vous que vous n'avez oublié aucun des quatre légumes, que vous n'avez pas confondu le nom de l'un avec celui de l'autre, et encore que vous avez correctement orthographié le tout.

► Estimation de votre score

Vous allez calculer votre score pour l'ensemble du test C. Nous allons procéder question par question. Ensuite, il suffira d'additionner pour obtenir le score pour l'ensemble de ce test C.

– Pour la question n° 1, vous avez droit à quinze points par réponse correcte.
Écrivez ici vos points : ... (maximum 45).

– Pour la question n° 2, vous avez droit à quinze points par réponse correcte.
Écrivez ici vos points : ... (maximum 45).

– Pour la question n° 3, vous avez droit à trente points par réponse correcte.
Écrivez ici vos points : ... (maximum 90).

– Pour la question n° 4, vous avez droit à dix points par réponse correcte.
Écrivez ici vos points : ... (maximum 80).

– Pour la question n° 5, vous avez droit à vingt points par réponse correcte. Attention, une réponse correcte est constituée de deux éléments : c'est un couple.
Écrivez ici vos points : ... (maximum 100).

– Pour la question n° 6, vous avez droit à quinze points par réponse correcte.
Écrivez ici vos points : ... (maximum 150).

– Pour la question n° 7, vous avez droit à dix points par réponse correcte. Les deux fruits comptent pour deux réponses. De même, les quatre légumes comptent pour quatre réponses.
Écrivez ici vos points : ... (maximum 90).

Effectuez maintenant le total de vos points et écrivez ci-après votre score pour le test C tout entier (sept questions) : ... (maximum 600).

Test D
Questionnaire individuel

Répondez à toutes ces questions dans l'ordre sans poser de question à qui que ce soit. Ne vous faites aider par personne. Ne vous aidez pas de votre agenda, de votre livret de famille ni de quoi que ce soit d'autre.

1. Prénom de mon père : ....
2. Nom de ma mère : ....
3. Date de naissance de papa : ....
4. Date de naissance de maman : ....
5. Lieu de naissance de papa : ....
6. Lieu de naissance de maman : ....
7. Diplômes de papa : ....
8. Diplômes de maman : ....
9. Date de leur mariage : ....

10. Date du service militaire de papa : ....

11. Lieu de service et arme : ....

12. Grade obtenu par papa : ....

13. Dates de naissance de mes sœurs et frères : ....

14. Date de mes premières vacances sans les parents : ....

15. Date de ma première rencontre avec mon conjoint : ....

16. Date et lieu de naissance de mon conjoint : ....

17. Année de naissance et âge de ses parents : ....

18. Prénom et nom de mariage de ses sœurs et frères : ....

19. Année de naissance et âge de ses sœurs et frères : ....

20. Études de mon conjoint : établissements fréquentés et diplômes : ....

Pour ce test, vous avez un maximum de deux cents points. De ce maximum, retirez vingt points par élément que vous n'avez pas retrouvé de mémoire. Il est possible que vous arriviez à un score négatif. Dans ce cas malheureux, attribuez-vous un zéro.
Écrivez ici votre score : ... (maximum 200).

▶ Évaluation de votre mémoire

Additionnez vos résultats aux tests A, B, C et D.
Écrivez votre score total ici : ...
Le maximum possible est de mille cinq cents points.

• *Plus de 1 400 points*
Votre mémoire ne doit guère vous causer de soucis. Vous avez certainement acheté ce livre pour vous entraîner et améliorer encore vos performances. En ce domaine, les améliorations sont toujours possibles. En effet, on peut toujours mémoriser davantage d'éléments, et plus vite. Souhaitons que ce livre vous aide à acquérir encore plus de souplesse et d'efficacité. Des conseils sont disséminés dans ce livre qui vous apporteront des idées nouvelles pour vous.

• *Plus de 1 250 points*

Vos résultats sont honorables et témoignent d'une bonne qualité de mémorisation. Des tests et exercices vous sont présentés en troisième partie de ce livre. Utilisez ces opportunités pour améliorer vos performances. Analysez attentivement vos résultats aux différents tests et exercices. Repérez ainsi ce qui est le plus difficile pour vous et concentrez vos efforts sur ce point particulier. N'oubliez pas de revenir faire des exercices de temps en temps, comme un pianiste fait ses gammes !

• *Plus de 1 000 points*

Votre mémoire vous donne quelquefois du souci. Avez-vous trouvé la raison de cette faiblesse ? Utilisez-vous des moyens ou procédés mnémotechniques chaque fois que cela est possible ? La création de ces moyens demande un peu de créativité. Serait-ce votre point faible ? Mettre en mémoire est un travail et doit être conduit comme un travail. Vous comporteriez-vous davantage en touriste ? Utilisez ce livre pour vous remettre à niveau. Demandez à votre conjoint de vous venir en aide, de vous encourager, de vous stimuler, de vous féliciter lors de vos succès.

• *Moins de 1 001 points*

La situation est significative d'un besoin de reprise en main. Vous avez bien fait d'acheter ce livre. Maintenant, il faut l'exploiter à fond. Lisez tout ce qui est dit des éléments qui influencent la mémorisation et tirez-en les conclusions qui s'imposent. Demandez à votre famille de vous encourager. Pratiquez les tests et exercices tous les jours, sans réduire votre effort, au moins trente minutes par jour, quotidiennement, pendant un mois. Ensuite, revenez à ce test. Vous devriez enregistrer une nette progression, ce qui sera un encouragement et non pas une raison pour vous arrêter !

• *Moins de 750 points*

Si vous connaissez les raisons de cette défaillance, il vous appartient d'agir sur les causes. Si vous ne connaissez pas les raisons, relisez ce livre. Attardez-vous sur les conseils qui y sont donnés. Les utilisez-vous ? Étudiez les éléments favorables à une bonne mémorisation. Suivez les règles qui en découlent. Prenez conscience de tout ce qui nuit à la mémoire. Éliminez de votre vie tout ce qui est nuisible. Si vous suivez des traitements médicaux particuliers, parlez de vos problèmes de mémoire à votre médecin. Si vous prenez seul, sans ordonnance, des produits agissant sur les centres nerveux, sur la capacité de vigilance, ou si vous consommez des somnifères, consultez votre médecin et confiez-lui vos soucis.

• *Remarque*

Il va de soi que les indications ci-dessus ne concernent pas les personnes qui, en raison de leur âge ou d'une maladie particulière, relèvent d'une autre échelle d'appréciation. Si vous êtes dans ce cas, prenez ce test et montrez tant vos réponses que les résultats obtenus au spécialiste qui vous suit. Lui seul a qualité pour apprécier votre score et vous apporter les conseils que votre état nécessite.

► Tableau des réponses correctes du test B

A.	32	**H.**	9	**O.**	28	**V.**	36
B.	42	**I.**	56	**P.**	36	**W.**	72
C.	30	**J.**	24	**Q.**	64	**X.**	27
D.	72	**K.**	24	**R.**	6	**Y.**	63
E.	9	**L.**	63	**S.**	9		
F.	9	**M.**	45	**T.**	3		
G.	7	**N.**	48	**U.**	5		

Troisième partie

Tests et jeux pour s'entraîner

Trouvez la clé

Pour chacun des exercices ou tests contenus dans ce chapitre, une clé ou processus de construction régit l'édifice qu'il vous est demandé de reconstituer. Ne perdez pas de temps à chercher à mémoriser bêtement ce que vous pouvez restituer très simplement en comprenant la règle régissant la construction présentée. Nanti de la clé ainsi découverte, vous irez droit au succès.

Ici vous sont proposés des jeux. Utilisez ces opportunités d'acquérir les réflexes utiles. Faites l'apprentissage de la curiosité. Travaillez par association d'objets ou d'idées. Recherchez les liens et trouvez. Une fois les liens trouvés, vous n'aurez plus d'effort à faire pour mémoriser, ou fort peu.

Si vous n'êtes pas déjà persuadé que bien des éléments que vous auriez intérêt à connaître auraient pu être mémorisés par vous tout aussi simplement, en étant curieux, en créant des associations d'idées, en multipliant les remarques pertinentes, essayez. Vous allez découvrir que la curiosité est une qualité essentielle. Certains l'appellent même capacité à observer.

Test A

La grille qui suit est garnie de caractères. Vous avez une minute pour la regarder. À la fin de cette minute, vous devez tourner la page et la reconstituer, c'est-à-dire replacer tous les caractères à leur bonne place dans une grille vide, semblable à celle-ci par son nombre de cases.

A	B	C	D	E	F	G	H	I
C	D	E	F	G	H	I	A	B
E	F	G	H	I	A	B	C	D
G	H	I	A	B	C	D	E	F
I	A	B	C	D	E	F	G	H
C	D	E	F	G	H	I	A	B
F	G	H	I	A	B	C	D	E
I	A	B	C	D	E	F	G	H

► Test A : grille à garnir

Utilisez la grille A, présentée à la fin de ce chapitre.

Accordez-vous un maximum de dix minutes et garnissez toutes les cases de cette grille avec les lettres qui doivent s'y retrouver pour fournir une grille identique à celle présentée.

Test B

La grille qui suit est garnie de caractères. Vous avez une minute pour la regarder. À la fin de cette minute, vous devez tourner la page et la reconstituer, c'est-à-dire replacer tous les caractères à leur bonne place dans une grille vide, semblable à celle-ci par son nombre de cases.

A	B	C	D	H	G	F	E
E	F	G	H	D	C	B	A
A	B	C	D	H	G	F	E
E	F	G	H	D	C	B	A
I	J	K	L	P	O	N	M
M	N	O	P	L	K	J	I
I	J	K	L	P	O	N	M
M	N	O	P	L	K	J	I
Q	R	S	T	X	W	V	U
U	V	W	X	T	S	R	Q
Q	R	S	T	X	W	V	U
U	V	W	X	T	S	R	Q

Si vous dépassez la minute qui vous est accordée pour l'observation de cette grille, vous faussez le jeu.

▶ Test B : grille à garnir

Utilisez la grille B, présentée à la fin de ce chapitre.
Accordez-vous un maximum de dix minutes et garnissez toutes les cases de cette grille avec les lettres qui doivent s'y retrouver pour fournir une grille identique à celle présentée.

Test C

La grille qui suit est garnie de chiffres. Vous avez une minute pour la regarder. À la fin de cette minute, vous devez tourner la page et la reconstituer, c'est-à-dire replacer tous les caractères à leur bonne place dans une grille vide, semblable à celle-ci par son nombre de cases.

Votre vigilance est votre sauvegarde. Au-delà d'une minute d'examen, la règle du jeu est faussée.

1	2	3	4	5	6	7	8	9	0
1	3	5	7	9	2	4	6	8	0
0	9	8	7	6	5	4	3	2	1
0	8	6	4	2	9	7	5	3	1
0	1	0	1	0	1	0	1	0	1
9	2	9	2	9	2	9	2	9	2
8	3	8	3	8	3	8	3	8	3
7	4	7	4	7	4	7	4	7	4
6	5	6	5	6	5	6	5	6	5
1	2	3	4	5	6	7	8	9	0
1	3	5	7	9	2	4	6	8	0

▶ Test C : grille à garnir

Utilisez la grille C, présentée à la fin de ce chapitre.
Accordez-vous un maximum de dix minutes et garnissez toutes les cases de cette grille avec les lettres qui doivent s'y retrouver pour fournir une grille identique à celle présentée.

Test D

La grille qui suit est garnie de chiffres. Vous avez trente secondes pour la regarder. À la fin de ces trente secondes, vous devez tourner la page et la reconstituer, c'est-à-dire replacer tous les caractères à leur bonne place dans une grille vide, semblable à celle-ci par son nombre de cases.

5	4	3	2	1	2	3	4	5
0	5	4	3	2	3	4	5	0
1	0	5	4	3	4	5	0	1
0	1	0	5	4	5	0	1	0
1	0	1	0	5	0	1	0	1
1	0	1	5	1	5	1	0	1
1	0	5	1	2	1	5	0	1
1	5	1	2	3	2	1	5	0
5	1	2	3	4	3	2	1	5

Vous avez bien lu ? Limitez votre temps d'observation à trente secondes pour ce test.

► Test D : grille à garnir

Utilisez la grille D, présentée à la fin de ce chapitre.
Accordez-vous un maximum de sept minutes pour garnir toutes les cases de cette grille avec les chiffres qui doivent s'y retrouver pour fournir une grille identique à celle présentée.

Test E

La grille qui suit est garnie de caractères. Vous avez quinze secondes pour la regarder. À la fin de ces quinze secondes, vous devez tourner la page et la reconstituer, c'est-à-dire replacer tous les caractères à leur bonne place dans une grille vide, semblable à celle-ci par son nombre de cases.

A	M	E	R
R	A	M	E
A	R	M	E
M	A	R	E
M	E	R	E
M	I	R	E
M	O	R	E
M	U	R	E
R	I	M	E
R	O	M	E
R	H	U	M

Avez-vous bien lu ? Le temps maximum pour cette grille est de quinze secondes.

► Test E : grille à garnir

Utilisez la grille E, présentée à la fin de ce chapitre.

Accordez-vous un maximum de sept minutes pour garnir toutes les cases de cette grille avec les lettres qui doivent s'y retrouver pour fournir une grille identique à celle présentée.

Test F

La grille qui suit est garnie de caractères. Vous avez quinze secondes pour la regarder. À la fin de ces quinze secondes, vous devez tourner la page et la reconstituer, c'est-à-dire replacer tous les caractères à leur bonne place dans une grille vide, semblable à celle-ci par son nombre de cases.

D	E	F	E	N	D	R	E
R	E	F	E	N	D	R	E
F	E	N	D	R	E	X	X
X	X	F	O	N	D	R	E
F	E	I	N	D	R	E	X
X	X	F	E	I	N	T	E
F	O	N	T	E	X	X	X
X	X	X	F	E	N	T	E
D	E	F	E	N	S	E	X
X	O	F	F	E	N	S	E
O	F	F	E	N	S	E	R
O	F	F	E	N	S	E	E

Il vous est proposé de ne consacrer à la lecture de cette grille que quinze secondes avant de tourner la page pour passer à la reconstitution.

► Test F : grille à garnir

Utilisez la grille F, présentée à la fin de ce chapitre.
Chronométrez votre performance. Enregistrez le temps utilisé pour garnir toutes les cases de cette grille avec les lettres qui doivent s'y retrouver pour fournir une grille identique à celle présentée.

▶ Grilles de réponses au test « trouvez la clé »

- *Grille A*

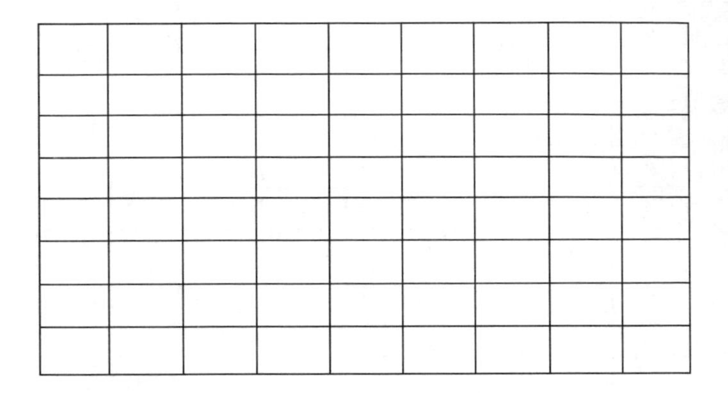

Si vous avez réussi assez facilement ce test, c'est parce que vous avez vu que l'ordre alphabétique était toujours respecté et que cet ordre était utilisé pour chaque ligne avec un décalage de deux lettres, d'abord, et de trois lettres, ensuite.
Vous avez trouvé la clé. Vous avez pu reconstruire. C'est très bien. Vous êtes maintenant encouragé à essayer le test B.

• *Grille B*

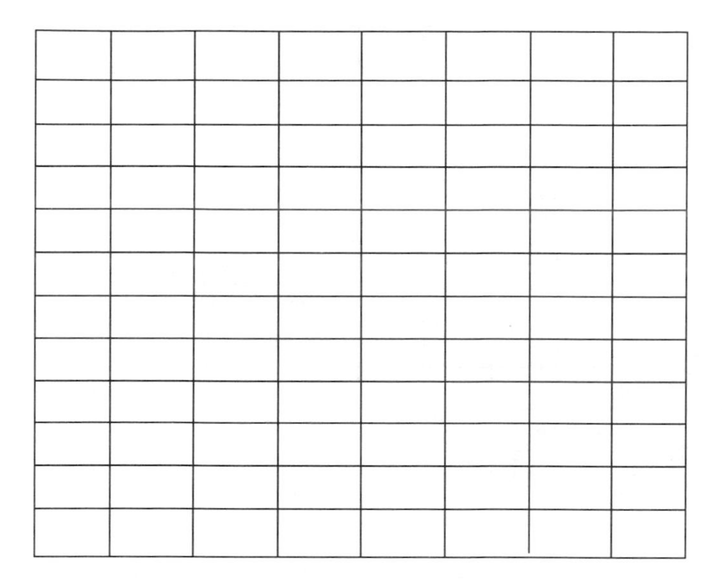

Si vous avez réussi, c'est parce que vous avez tout de suite vu que la construction reposait sur l'alphabet, sur un jeu de centrage pour la composition de chacune des douze lignes, et sur une alternance, le tout étant suivi d'une répétition de chaque couple de lignes.

Vous avez gagné. Continuez à vous exercer. Passez au test C.

• *Grille C*

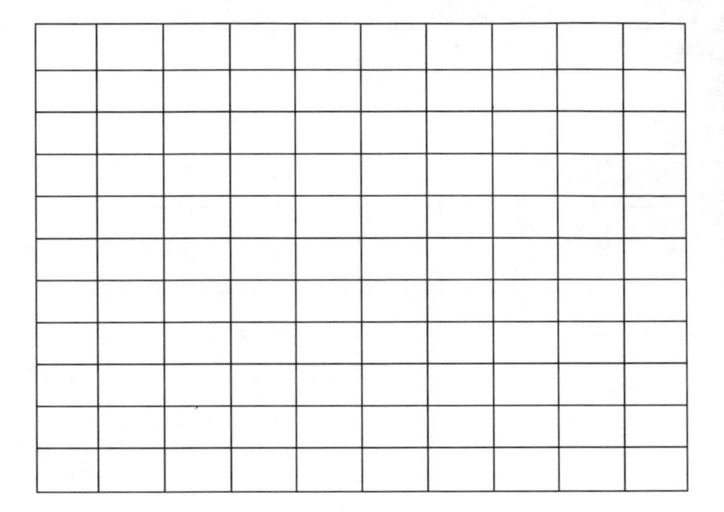

Vous avez réussi à recomposer la grille sans tricher. Félicitations. Vous aviez remarqué que les deux premières lignes et les deux dernières étaient identiques. Vous aviez repéré la séparation entre pairs et impairs, puis mémorisé les petits couples.

- *Grille D*

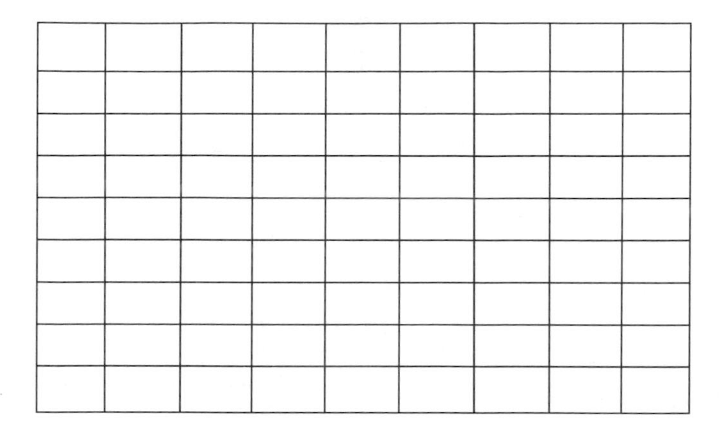

Si vous avez respecté les délais réduits qui vous ont été proposés, vous avez marqué un pas important dans la bonne direction, à supposer bien évidemment que vos réponses soient correctes.

Vous aviez remarqué la croix tracée par les chiffres 5, ainsi que le parallélisme (croissant ou décroissant) des chiffres au centre. Vous aviez remarqué également que l'alternance « 0-1 » était différente en haut et en bas de la grille.

• *Grille E*

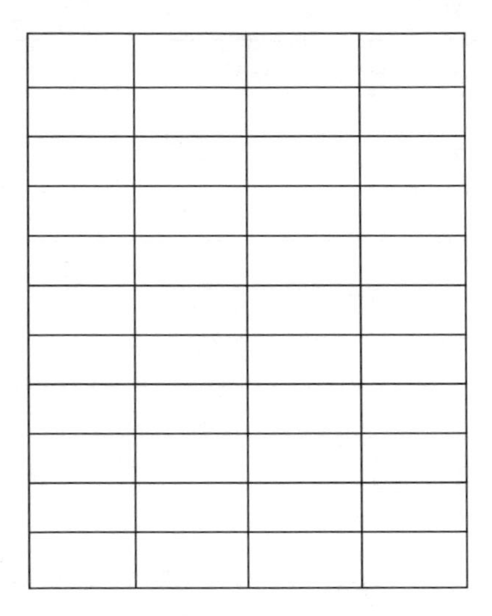

Vous avez réussi parce que vous avez tout de suite remarqué que les lettres formaient des mots. Vous avez tout de suite vu que les premiers sont des anagrammes, et que, sur la base de la dernière anagramme, les autres mots ne sont qu'une déclinaison classique des voyelles, avant de terminer sur un jeu phonétique. Ainsi analysé, lu rapidement, l'ensemble forme une suite de mots assez facile à mémoriser dans l'instant.

- *Grille F*

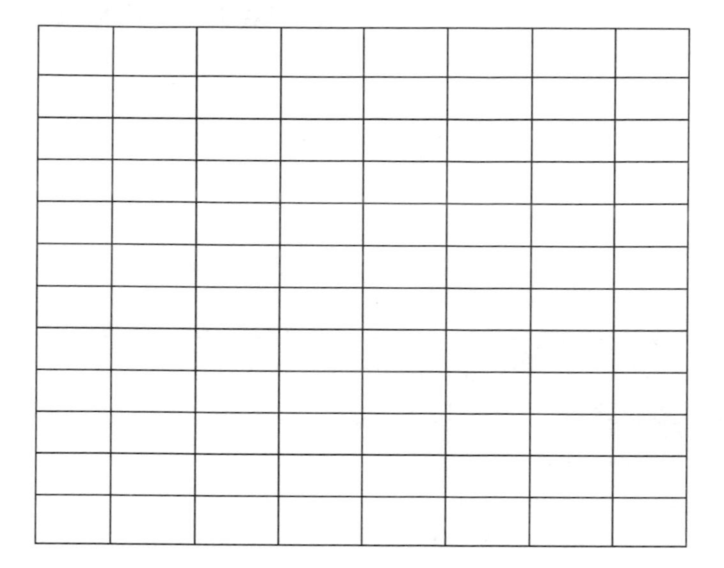

– Vous avez réussi en moins de quatre minutes : ce résultat est tout à votre honneur. Votre mémoire est bien maîtrisée. Continuez à vous exercer pour bien l'entretenir.

– Vous avez réussi en moins de six minutes : vous pouvez compter sur votre mémoire. C'est une alliée fidèle. Continuez à vous entraîner et elle fera de vous un heureux.

– Vous avez réussi en moins de huit minutes : vous pouvez compter sur votre mémoire puisque vous avez réussi. Peut-être n'êtes-vous pas très sûr de vous, ou l'indécision fait-elle partie de votre nature ?

Le test d'Aline

Ce test se compose d'une histoire. Vous êtes invité à la lire d'une traite. Vous ne devez pas consacrer plus de douze minutes à cette lecture. Lisez sans papier, sans prise de notes. Ensuite, un petit questionnaire vous permettra de vérifier que vous avez correctement mémorisé ce que vous avez lu. Ce test est de nature classique et vous l'avez certainement déjà rencontré. De préférence à un texte technique, nous vous proposons ci-après une brève histoire. Nous espérons que le test y gagnera en agrément pour vous. Bonne lecture !

L'histoire

« Bonjour madame, Alain de Sy, je voudrais parler à mademoiselle de Spa.
– Bonjour, monsieur. C'est moi.

– Très heureux. Mademoiselle, je vous appelle suite au dossier que m'a transmis notre président. M. Armand de La Haie m'a demandé de prendre contact avec vous pour compléter l'étude de ce projet. En effet, il lui semble intéressant, mais il se demande s'il n'est pas possible d'étayer davantage le dossier de présentation. Vous serait-il possible de venir jusqu'à nos bureaux ou préférez-vous que je me rende chez vous ?
– Je vous remercie de me poser cette question. J'ai beaucoup de documents susceptibles d'être retenus pour ce dossier, et l'ensemble est assez lourd. Si vous pouvez vous déplacer jeudi, je me ferai un devoir de vous accueillir. Le début d'après-midi vous conviendrait-il ?
– J'ai l'habitude de déjeuner rapidement. Je pourrais être chez vous quand vous voulez à partir de treize heures.
– À votre avis, si nous commençons à travailler à treize heures, à quelle heure aurons-nous terminé ?
– Je l'ignore car vous m'avez parlé d'une documentation vraiment très abondante, mais nous pouvons décider de ne pas dépasser dix-sept heures, si cela vous convient.
– C'est parfait. Je vous attendrai à treize heures avec le café. Je vous remercie de m'avoir téléphoné aussi rapidement.

– Merci de vous rendre disponible. Je vous souhaite une bonne journée et vous dis à jeudi. Au revoir, mademoiselle. »

C'est ainsi qu'Alain de Sy et Aline de Spa se parlèrent le lundi 10 février 1993. Ils ne se connaissaient pas. Ils ne s'étaient jamais rencontrés. Pour lui, et parce qu'il avait reçu le dossier transmis par elle au président de la TGE, elle devait avoir une formation d'ingénieur et, sans doute, un talent dans la découverte de nouveaux produits. Son dossier n'était certainement pas arrivé sur le bureau du président par hasard. Le connaissait-elle personnellement ? Ou son père avait-il été collègue de promotion du président ? Un lien de parenté les unissait-il ? Alain de Sy ne perdit guère de temps à se poser ces questions auxquelles aucune réponse ne lui serait donnée sur-le-champ. Il se mit en charge de programmer son travail de telle façon que le dossier soit pour lui un terrain bien connu, et ce dès avant le rendez-vous du jeudi 13 février. Une fiche d'étude de marché fut tout de suite rédigée. Son assistante reçut pour instruction de réunir les éléments demandés sur cette fiche dans la journée de mardi. Rendez-vous fut pris avec le directeur technique. Il était intéressant qu'il formule un premier avis sur la faisabilité et, aussi, qu'il définisse une fourchette de coût de fabrication probable.

Alain de Sy est entré à la TGE voici trois ans. Il y a été appelé par le président qui cherchait à s'adjoindre une tête chercheuse, intelligente et ouverte sur le monde, pour lui confier des missions ponctuelles d'études de projets, d'analyses de situations, de recherches de solutions innovantes. C'est un homme intelligent, très curieux des affaires de ce monde, un esprit toujours en alerte, apte à saisir une idée et à lui faire rendre son jus jusqu'à la lie. À quarante ans, c'est un homme jeune, d'une grande fraîcheur d'esprit. C'est un célibataire dynamique, toujours en mouvement. Certains affirment que c'est pour l'avoir vu mener un débat très difficile, ou pour l'avoir écouté lors d'une conférence, que le président de La Haie lui a proposé cette fonction qui convient parfaitement à cet homme efficace, riche de ce que les chasseurs de têtes appellent un « parcours atypique ».

La maison qu'Aline de Spa occupe en partie n'est autre que celle de ses parents qui l'ont achetée lors de leur mariage. Ils n'ont eu de cesse, ensuite, de transformer cette petite maison de banlieue, fort heureusement dotée d'un jardin, en une vaste et fort confortable villa. Alain de Sy a déjà apprécié le pâle et ardent soleil hivernal qui, à travers quelques marronniers, caresse la bâtisse et lui donne ce relief si chaleureux, lorsqu'il sonne à la porte.

« Alain de Sy.
– Je vous attendais. Entrez. Voulez-vous me confier votre loden ?
– Comme vous l'entendez. Je vous remercie, mais, vous savez, il ne faut pas vous donner trop de mal. Il est habitué à vivre plié sur un siège de voiture ou roulé en boule dans le coffre d'un avion. Je suis assez dur avec lui.
– Alors, il a mérité un bon cintre et un peu de repos. »

Aline de Spa affiche, sous une discrétion de bon ton, une trentaine attirante à force de naturel et de simplicité. Une voix posée et sereine met l'interlocuteur à l'aise. Un tailleur souple accentue cette image de simplicité. Peut-être aussi souligne-t-il la sérénité propre à ces personnes qui savent qu'elles n'ont nul besoin d'accessoires pour être appréciées à leur juste valeur.

« Si vous voulez accepter de me suivre, je vous précède. Mes parents me laissent utiliser l'aile gauche de la maison à ma guise. Je suis ici chez moi. Vous allez très vite vous en rendre compte. Tout le rez-de-chaussée est encombré de papiers, de dessins, de maquettes, bref, de tout ce avec quoi je travaille. Un dernier conseil, regardez où vous posez vos pieds. Il y a de tout partout. Cela n'a rien d'un salon de réception ou d'un bureau ordonné, mais c'est mon aire de jeux, si vous acceptez l'expression.

– Donc, vous jouez à travailler.

– Si vous voulez. Vous savez, pour moi, les choses sont simples : ou ce que je fais me passionne, ou je ne le fais pas.

– C'est peut-être le cas des chercheurs ?

– Je suppose. Je crois que c'est le propre de toutes les personnes qui aiment ce qu'elles font, qui ont une passion ou un objectif de vie, comme disent les amateurs de « projet professionnel » et de « plan de carrière ».

– Je partage votre point de vue, mais, entre nous, je ne crois pas que nous soyons majoritaires dans la société actuelle.

– Vous croyez ?

– Je ne sais pas. C'est une impression. J'entends quelquefois des propos tellement

déconcertants, si décourageants que je me fais l'impression d'être un extraterrestre...
– Votre apparence est bien humaine, et vous avez franchi tous les obstacles. Voulez-vous que nous nous installions autour de cette table ? Elle est assez grande pour nous permettre d'ouvrir plusieurs dossiers simultanément. Prenez place ici, vous aurez le dos au soleil, c'est très agréable en ce moment. Je vous laisse vous installer. Je vais chercher le café.

– Prenez-vous du lait avec votre café ?
– Merci, seulement au petit déjeuner.
– Cette tasse est la vôtre. Je vous laisse vous servir en sucre.
– Vous m'avez fait les honneurs de ce que vous appelez un désordre, mais, là, je dois reconnaître que je suis comblé. Les mignonnettes sont ma seule gourmandise, mais je suis incapable de résister.
– Ne résistez pas.
– Vous allez devoir me surveiller.
– Dans l'immédiat, je vais d'abord essayer de comprendre ce dont vous avez besoin et vous donner tous les éléments qui vous sont nécessaires, sans vous encombrer trop.
– Je vous remercie. J'ai étudié votre dossier. Je vous propose de commencer par vous dire comment j'ai compris votre projet, et, ensuite, je

vous présenterai la liste de questions que j'ai dressée. Nous pourrons nous en inspirer, tout en sachant qu'elle n'est pas limitative. Je suis certain que vous avez de bonnes idées en réserve.
– Vous me flattez. Je vous écoute. »

La discussion se fait technique. Les arguments se confortent au contact des contre-arguments. Décrire toutes les théories évoquées relève de la mission impossible. La table est bientôt entièrement recouverte. Le thé a pris la succession du café. Alain a apprécié les palets bretons en connaisseur. Aline est devenue plus loquace. Son assurance a crû en même temps que les arguments s'empilaient. Elle parle maintenant de sa création comme d'un enfant. Elle rayonne alors que le soleil décline. S'étant levé pour observer de plus près la maquette posée sur un guéridon, Alain voit que l'obscurité de la nuit a envahi la fenêtre.

« Pardon. Je suis navré. Je vous avais promis de ne pas dépasser dix-sept heures, et nous sommes encore là à travailler. Je vous présente mes excuses.
– Oh ! mais vous avez raison, il est bientôt dix-huit heures trente. J'espère que vous n'avez pas raté un rendez-vous à cause de moi.

– Ne craignez rien pour moi. Dites-moi ce qu'il en est pour vous, et ce que nous pouvons faire.
– J'avais promis à ma mère de venir embrasser ma grand-mère avant qu'elle parte. Je ne l'ai pas vue depuis six mois. Elle vit sur la côte, vous comprenez.
– Je comprends. Je vous prie encore de m'excuser. Je m'étais promis de tenir la pendule à l'œil. Je vais vous remercier de votre accueil et prendre congé.
– Cette documentation n'est pas très bien classée et je sens que je vous ai fait perdre du temps. Si vous pouvez me donner une liste de documents, je vous promets de les mettre à jour dans la nuit et de vous les faire remettre à votre bureau demain matin.
– Votre obligeance est fort agréable, mais je ne serai pas à mon bureau demain. Je serai dans notre usine de Marseille jusqu'à seize heures. En rentrant, je ne passerai pas par le bureau. J'ai prévu de travailler sur votre projet ce week-end et, dès ce soir, j'emporte le dossier chez moi.
– Vous travaillez aussi le week-end ?
– Quelquefois.
– Alors, c'est simple. Je serai ici tout le week-end pour répondre à vos questions à n'importe quel moment.

– C'est peut-être un peu excessif...
– Ou alors, pour me faire pardonner, je vous invite à dîner ici demain soir et je vous remettrai tout ce que vous m'aurez demandé.
– Je ne voudrais pas abuser de votre hospitalité.
– Vous n'abusez pas. Si vous acceptez, vous m'évitez un déplacement jusqu'à votre bureau ou votre maison. C'est moi qui vous dérange. J'espère que vous appréciez autant les huîtres que les mignonnettes. J'aimerais que vous acceptiez, demain soir, ou samedi soir si vous préférez. Ah ! oui, il faut que je vous rassure. À l'étage, j'ai aménagé une vraie salle à manger.
– Vous pensez à tout. C'est très aimable à vous, mais je suis habitué à décliner les invitations à table lorsque je suis chargé de l'étude d'un dossier.
– Monsieur, c'est vous qui décidez. J'ai pris la liberté de vous inviter parce que cela me semblait très incorrect de vous laisser venir travailler ici, plus de temps que prévu, le soir en heures supplémentaires, sans même vous offrir une collation. Je n'ai pas envie de vous froisser. Disons, plutôt, que je suis gourmande, et, comme je ne parle pas la bouche pleine, vos oreilles seront au repos. Cela vous changera

de ce que je vous ai fait subir tout l'après-midi. Peut-être, aussi, pourrai-je vous écouter ?
– Vous avez gagné. Je viendrai demain si vous me promettez de ne rien faire d'exceptionnel pour moi.
– Promis. Je vous attendrai quand vous voulez.
– Je déteste me faire attendre. Décidons que je serai votre hôte à vingt heures trente, si vous voulez.
– Je veux. En attendant, je vous accompagne. Sinon, votre loden va vous manquer. »

Vendredi 14 février 1993, vingt et une heures.

« Je tiens à vous remercier de m'avoir fait parvenir toutes vos questions et demandes de documents en télécopie ce matin avant huit heures.
– Cela m'a semblé être une bonne méthode.
– Vous avez dû travailler toute la nuit pour dresser une liste aussi précise. J'étais impressionnée.
– Disons que je me suis laissé gagner par votre entrain, et que j'ai un peu travaillé hier soir.
– En tout cas, cela nous permet de ne pas encombrer la salle à manger avec tous mes papiers. Voulez-vous maintenant passer à table ?

– Volontiers, je me laisse guider. Votre champagne est excellent, et votre tarama est si léger.
– Je suis contente qu'il vous plaise. Je fais mon tarama moi-même. Prenez cette chaise, vous aurez vue sur la cheminée.
– Je vous remercie. On parle souvent des inventeurs comme de "professeurs Nimbus ou Tournesol". Je constate avec plaisir que vous recevez à la perfection.
– Vous êtes trop flatteur. Je vais devoir me méfier !
– Accordez-moi des circonstances atténuantes. Voulez-vous ?
– Accordé. Préférez-vous le citron ou le vinaigre de cidre pour les huîtres ?
– Je les préfère sans rien, telles que la nature nous les offre. Merci. Puis-je me permettre de jouer au sommelier ?
– Faites. Je suis toujours un peu maladroite avec les bouteilles. J'espère que vous aimez le saint-romain.
– C'est une excellente idée. Prenez-vous également de l'eau ?
– Oui, merci, de l'eau plate. J'ai préparé deux bouteilles car je ne sais pas ce que vous préférez. Nous ne nous connaissons pas, en réalité.
– Nous n'avons pas parlé de nous. Vous m'avez dit toutes les coutures de votre invention

et je ne sais même pas si vous avez des sœurs et frères, quelles études vous avez entreprises, si ce ne sont les recherches en dynamique des fluides rapidement évoquées hier après-midi.
– Vous avez noté cela. Vous êtes très attentif. Je vous félicite. Je ne me souvenais même pas en avoir parlé. Notez que j'ignore, moi aussi, tout de vous. Je ne sais qu'une seule chose. Vous travaillez à la TGE et le président vous a confié mon ersatz de dossier. »

Un dîner s'achève toujours trop vite lorsque deux personnes se rencontrent, qui souhaitent se découvrir et se connaître mieux. Les huîtres ont ouvert le chemin à une langouste à l'armoricaine. Un puisseguin saint-émilion a escorté l'époisses, le roquefort, et le beaufort. Une coupe de fruits exotiques a rafraîchi les palais. Le café a apporté le point.

« Je me dois de vous remercier pour cet excellent repas. J'ai vraiment été choyé, ce soir. Il me reste à ne pas oublier les documents que vous avez préparés et à rentrer au bercail. Je ne sais si c'est ce que vous m'avez fait manger, ou l'intérêt du projet, ou les deux, mais je dois avouer que j'ai envie de travailler sur votre dossier sans attendre.

– Vous êtes libre de partir quand vous voulez. Voulez-vous revoir la maquette une dernière fois pour l'avoir bien dans l'œil ?
– J'ai peur de vous tenir jusqu'à une heure indécente avec mes questions, mais j'accepte volontiers, à charge pour vous de me mettre à la porte.
– C'est peut-être vous qui allez vous lasser le premier. Suivez-moi, je connais les interrupteurs. »

Quand le temps suspend son vol, les pendules s'effacent. Savoir comment et pourquoi la maquette est tombée, nul ne le sait vraiment. Qu'Alain et Aline se soient sur-le-champ penchés vers elle, c'est normal. On pourrait même parler de réflexe instinctif. Que chacun d'eux ait été ému devant le désastre, voilà qui ne surprendra pas. Que la courtoisie ait amené chacun à s'accuser du sinistre est bien compréhensible. Qu'ils se soient mis à récupérer et à rassembler les pièces ou parties, chacun l'aura deviné.
« Pardon, je n'avais pas vu que vous la preniez. »
Lequel des deux a prononcé cette phrase alors que sa main avait enserré celle de l'autre, croyant atteindre une poulie ? C'est impossible à dire.

Pourquoi ces deux mains sont-elles restées accrochées l'une à l'autre, inertes et interdites toutes deux, comme pétrifiées par ce qui aurait pu être de l'audace ? Cela tient sans doute au calendrier. C'était un quatorze février. C'était la fête de la Saint-Valentin.

Questionnaire

Répondez aux questions ci-après sans retourner au texte que vous venez de lire. Répondez aux questions dans l'ordre de leur présentation. Ne revenez pas sur une question à laquelle vous avez déjà répondu.

A. Quels sont les différents noms propres que vous avez rencontrés dans cette histoire ?

....

B. Quelles sont les professions des deux acteurs principaux ?

....

....

C. Quand les personnages principaux se parlèrent-ils pour la première fois, pourquoi et comment ?

....

....

D. Quelle fut la conclusion de ce premier entretien ?

....

E. Où eut lieu leur première rencontre ? Que savez-vous de ce lieu ?

....

....

F. Qui prend du lait dans son café ?

....

G. Où se trouve Alain le vendredi matin ?

....

H. Recomposez le menu du dîner :

....

....

....

I. Comment se nomme l'entreprise citée ?

....

J. Quel accident s'est produit ?

....

K. Comment se termine l'histoire ?

....

....

L. Quelle est la caractéristique commune à tous les prénoms cités ?

....

M. Donnez la liste des prénoms cités :

....

N. Quelle est la caractéristique commune à tous les noms propres cités ?

....

Posez votre stylo. Prenez-en un autre, de couleur différente, pour annoter vos réponses en fonction des solutions présentées, et évaluer votre score.

► Solutions - Réponses types au questionnaire

Voir l'encadré de la page 96.

► Évaluation de votre score

Vous avez droit à trois points par bonne réponse, correcte et complète. Une réponse est complète lorsqu'elle contient tous les éléments présentés dans la liste des solutions. Une réponse correcte, mais incomplète, vous apporte un point. Le score maximal est donc de quarante-deux points pour quatorze réponses correctes et complètes.

Écrivez ici votre score : ...

Il vous appartient de noter votre score, et, tant que le maximum n'est pas atteint, de refaire le test, de vous entraîner avec d'autres tests semblables.

- *Un conseil*

Si vous voulez revenir sur ce test, attendez au moins six mois, afin d'y revenir avec un esprit neuf, dégagé de toute mémoire antérieure.
Vous pouvez vous faire aider par un ami ou par votre conjoint. Chacun peut sélectionner un texte à l'attention de l'autre et rédiger les questions relatives au texte. Prenez garde de ne pas confondre mémorisation du texte et compréhension de ce texte.
Les questions doivent être factuelles, objectives. Toute question d'appréciation personnelle doit être exclue. La meilleure façon d'entretenir sa mémoire est de la solliciter sans cesse, tous les jours, sans exception.
Ne laissez pas votre mécanique se rouiller !

A. : de Sy, de Spa, de La Haie.
B. : lui : conseiller du président.
elle : ingénieur inventeur, spécialiste de la dynamique des fluides.
C. : le lundi 10 février 1993, pour prendre rendez-vous, par téléphone.
D. : un rendez-vous le jeudi 13 à treize heures.
E. : chez elle, qui occupe l'aile gauche de la maison familiale, une villa cossue dans un jardin agrémenté de marronniers. Le rez-de-chaussée est consacré au travail, un appartement étant aménagé à l'étage.
F. : Alain, uniquement au petit déjeuner.
G. : dans l'usine de Marseille.
H. : champagne, tarama, huîtres, langouste à l'armoricaine, fromages (époisses, roquefort, beaufort), fruits exotiques, saint-romain, puisseguin saint-émilion, café.
I. : TGE.
J. : la maquette est tombée sur le sol et s'est brisée.
K. : deux mains prisonnières l'une de l'autre... Nous ne connaissons pas la suite. L'évocation de la Saint-Valentin laisse supposer une suite heureuse, mais rien n'est dit.
L. : ils commencent tous par la lettre A.
M. : Aline, Alain, Armand.
N. : la particule.

Le test des listes

Le principe de ce test est simple. Plusieurs listes de mots vous sont présentées. Vous devez lire les différentes listes avec attention. Ensuite, après lecture de toutes ces listes, et sans pouvoir y revenir, vous devez répondre, en vous fiant à votre seule mémoire, à une question simple telle que : « Tel mot figure-t-il dans la liste numéro 1 ? »
Dans le cas présent, le nombre de listes différentes a été limité. Par ailleurs, il vous sera posé une seule question par liste, toujours sous la même forme, semblable à celle indiquée ci-dessus. Pour ce type de test, accordez-vous une minute par liste pour la phase de lecture, et une minute par question pour la phase de réponse au questionnaire.

Liste n° 1

Amusement, amuser, fêter, rire, jouer, chanter.

Liste n° 2
Baignade, mer, soleil, plage, bouée, bronzage.

Liste n° 3
Communication, téléphone, télex, visiophone, fil.

Liste n° 4
Déchéance, boisson, cigarette, drogue, alcool.

Liste n° 5
Estime, confiance, admiration, influence.

Liste n° 6
Folie, ivresse, psychose, délire, angoisse.

Liste n° 7
Garage, véhicules, voiture, camion, essence.

Liste n° 8
Hache, scie, marteau, enclume, pince, tenailles.

Liste n° 9
Immobilité, immeuble, stable, ferme, intangible.

Liste n° 10
Jardin, brouette, rose, crocus, pelouse, binette.

Liste n° 11
Kiwi, banane, orange, citron, grenade, mangue.

Liste n° 12
Luxure, débauche, désordre, orgie, bacchanales.

Liste n° 13
Moisissure, vieillissement, mûrissement, mûri.

Liste n° 14
Naïveté, candeur, pureté, idéalisme, innocence.

Liste n° 15
Organisation, ordre, efficacité, travail.

Ne tournez la page qu'après avoir soigneusement lu ces listes comme proposé dans l'énoncé.

Questionnaire

1. Le mot « farniente » est-il inclus dans la liste n° 1 ?

OUI NON

2. Le mot « psychose » est-il inclus dans la liste n° 2 ?

OUI NON

3. Le mot « efficacité » est-il inclus dans la liste n° 3 ?

OUI NON

4. Le mot « débauche » est-il inclus dans la liste n° 4 ?

OUI NON

5. Le mot « éblouissement » est-il inclus dans la liste n° 5 ?

OUI NON

6. Le mot « délire » est-il inclus dans la liste n° 6 ?

OUI NON

7. Le mot « essence » est-il inclus dans la liste n° 7 ?

OUI NON

8. Le mot « tenailles » est-il inclus dans la liste n° 8 ?

OUI NON

9. Le mot « mobilité » est-il inclus dans la liste n° 9 ?

OUI NON

10. Le mot « rhododendron » est-il inclus dans la liste n° 10 ?

OUI NON

11. Le mot « pomme » est-il inclus dans la liste n° 11 ?

OUI NON

12. Le mot « orgie » est-il inclus dans la liste n° 12 ?

OUI NON

13. Le mot « vieillissement » est-il inclus dans la liste n° 13 ?

OUI NON

14. Le mot « innocence » est-il inclus dans la liste n° 14 ?

OUI NON

15. Le mot « ordination » est-il inclus dans la liste n° 15 ?

OUI NON

▶ Les solutions

Voir l'encadré de la page suivante.

- *Recommandations*

Dans le test présent, un petit travail de lecture attentive vous permettait de voir immédiatement deux éléments essentiels. Si ces éléments vous ont échappé, allez regarder très attentivement le test avant de revenir lire les lignes qui suivent.

Le premier élément se remarque dès la lecture de la première liste : le premier mot de la liste indique le thème de la liste. Vous pouvez en déduire tout de suite que l'effort de mémorisation doit porter sur le premier mot.

Le second élément saute aux yeux dès que l'on regarde l'ensemble des listes, de façon globale : tous les thèmes sont classés par ordre alphabétique. Cela vous permet de négliger totalement les numéros. Vous savez que vous n'en aurez nul besoin pour répondre aux questions.

Utilisez toujours tous les moyens mnémotechniques à votre disposition, et ce, en toutes circonstances. En réalité, il vous suffisait, pour obtenir un bon score à ce test, de mémoriser la liste des thèmes, dans l'ordre, voire même dans le désordre.

La bonne réponse est « oui » pour les questions : 7 - 8 -12 - 13 - 14.
La bonne réponse est « non » pour les questions : 1 - 2 - 3 - 4 - 5 - 6 - 9 - 10 - 11 - 15.

Le test des historiettes

L'objectif de ce test est de mémoriser, puis de restituer trois textes courts. Les trois textes doivent être mémorisés puis restitués simultanément. Suivez à la lettre les instructions qui vous sont données. Lisez une première fois les trois historiettes que voici.

Historiette n° 1 : faire la queue

Une queue de casserole attendait.
« Qu'avez-vous à faire le trottoir ? lui fut-il demandé.
– J'attends le bus, répondit-elle.
– Pourquoi alors ne faites-vous pas la queue comme tout le monde ?
– Mais comment ne pas être ce que je suis, ou comment faire ce que je suis ? »

Historiette n° 2 : histoire courante

Patrick se promène avec maman dans les petites rues de cette charmante cité balnéaire où ils jouissent des vacances.
Sur une fenêtre, une affichette propose des chambres meublées à louer et précise : « Eau courante dans toutes les chambres. »
– Maman, l'eau courante, c'est de l'eau qui court dans les chambres ?

Historiette n° 3 : question de croyance

Si vous croyez que je pense qu'ils croient ce que nous croyons, alors vous pensez qu'ils pensent ce que vous croyez.

Maintenant, lisez à nouveau ces trois historiettes avec la plus grande attention. Cela est votre deuxième lecture. Votre esprit doit donc précéder votre lecture qui, elle, confirmera votre premier souvenir.

Vous avez terminé votre deuxième lecture. Il est temps de passer à la troisième lecture. Il ne vous reste plus grand-chose à découvrir. Vous avez peut-être encore quelques hésitations en ce qui concerne la ponctuation, ou tel mot de liaison. Une fois de plus, votre esprit, votre mémoire vive doivent précéder votre œil. Le plaisir de voir votre œil vous confirmer la qualité de ce que vous restituez doit vous envahir.

Vous avez terminé votre troisième lecture. Cachez immédiatement, avec tout moyen à votre disposition, les trois historiettes. Entreprenez tout de suite la restitution, écrite, de ces bavardages.

Historiette n° 1 :

....

....

....

....

....

Historiette n° 2 :

....

....

....

....

....

Historiette n° 3 :

....

....

....

....

....

▶ Évaluation

Vous avez terminé votre travail d'écriture. Comparez maintenant votre texte à celui du livre. Non, votre comparaison n'a pas pour objet le style littéraire. Il est certain que ces historiettes eussent été mieux mises en valeur si vous en aviez été l'auteur. Votre comparaison doit porter sur la qualité de votre restitution, en tant qu'exercice de mémorisation.

Pour évaluer cette qualité, posez-vous les questions suivantes :

– Les trois historiettes sont-elles bien restituées, sans que l'histoire ait été modifiée ?

– Les propos des acteurs ont-ils été déformés ou non, et, si oui, de quelle façon ?

– Les erreurs portent-elles sur des mots essentiels, ou uniquement sur quelque article ou conjonction ?

– Les fautes d'orthographe dévoilent-elles de la distraction (manque de concentration), une incompréhension du français, ou une méconnaissance de l'orthographe ?

Tests d'entraînement progressif

Test des mots enchaînés

Il est intéressant de mesurer ses capacités. Il est encore plus agréable de mesurer les progressions. Ce test contient plusieurs tests, de niveaux de plus en plus difficiles. Utilisez cette progression pour vous entraîner. Progressez dans l'échelle des difficultés au rythme de vos succès.

▶ Principe et règle

Le principe du test est simple : il consiste à mémoriser une liste de mots et à la restituer ensuite par écrit. Le temps accordé pour la mémorisation est invariable, tandis que les listes s'allongent de plus en plus. Comme vous allez le constater, les listes sont faites pour être mémorisées rapidement, comme si ce n'était qu'un jeu. Pour jouer, prenez une montre très précise

ou, mieux, un chronomètre. Limitez strictement votre temps de mémorisation à quatre-vingt-dix secondes. Bien entendu, le travail de mémorisation se fait dans la tête, sans papier, sans crayon, sans ustensile autre que votre cerveau. Dès que le temps maximal indiqué ci-dessus, soit une minute trente, est écoulé, l'ensemble de la liste doit être recouvert.
Munissez-vous d'un papier fort apte à bien cacher la liste que vous devrez ensuite reconstituer, avant même de commencer le travail de mémorisation. Ainsi, vous n'aurez pas à chercher un cache, à fouiller, à vous déconcentrer. Votre travail de restitution ne peut excéder les cinq minutes. Bien évidemment, tout mot mal orthographié lors de la restitution devra être compté comme faux.
Exercez-vous tout de suite avec la première liste. Elle ne contient que dix mots. En fonction du résultat, vous gravirez les échelons.

▶ Dix mots
Boule - leçon - sonder - décider - déceler - lézard - artisanat - nana - nativité - téléphone.

• *Restitution :*

1. .... 3. ....
2. .... 4. ....

5. .... 8. ....
6. .... 9. ....
7. .... 10. ....

▶ Onze mots

Pistole - lever - véracité - téléport - portière - remiser - zéro - rôtir - tirage - jeté - thématique.

• *Restitution :*

1. .... 7. ....
2. .... 8. ....
3. .... 9. ....
4. .... 10. ....
5. .... 11. ....
6. ....

▶ Douze mots

Catastrophe - femelle - mellifère - ressort - sortilège - germe - meldois - doigté - théière - redire - replacer - céder.

• *Restitution :*

1. .... 7. ....
2. .... 8. ....
3. .... 9. ....
4. .... 10. ....
5. .... 11. ....
6. .... 12. ....

▶ Treize mots

Phlébite - terrassier - siège - gendarme - messe - sertir - tirailleur - leurrer - rétablir - iridologie - logique - querelle - ellipse.

• *Restitution :*

1.	....	8.	....
2.	....	9.	....
3.	....	10.	....
4.	....	11.	....
5.	....	12.	....
6.	....	13.	....
7.	....		

▶ Quatorze mots

Gaminerie - ridicule - léger - gérontologie - girouette - terminal - alliance - semailles - lester - tétaniser - zéro - rodomontades - descendre - dresser.

• *Restitution :*

1.	....	8.	....
2.	....	9.	....
3.	....	10.	....
4.	....	11.	....
5.	....	12.	....
6.	....	13.	....
7.	....	14.	....

► Quinze mots

Absolument - mentor - torturer - réduire - retenir - irradier - dièse - zeste - têtard - ardu - dune - négatif - ifs - festive - verte.

• *Restitution :*

1. .... 9. ....
2. .... 10. ....
3. .... 11. ....
4. .... 12. ....
5. .... 13. ....
6. .... 14. ....
7. .... 15. ....
8. ....

► Seize mots

Indubitablement - mention - onomatopées - pédérastie - style - leste - terrible - blennorragie - gynécologie - gynécée - cérébralité - lithographie - philatélique - question - sionisme - mérite.

• *Restitution :*

1. .... 4. ....
2. .... 5. ....
3. .... 6. ....

7.	....	12.	....
8.	....	13.	....
9.	....	14.	....
10.	....	15.	....
11.	....	16.	....

▶ Dix-sept mots

Pain - invariablement - mentalité - thésard - ardent - dentifrice - cession - oncle - cleptomane - nervure - reddition - onctueux - tueuse - séductrice - célibataire - relativité - thésauriser.

• *Restitution :*

1.	....	10.	....
2.	....	11.	....
3.	....	12.	....
4.	....	13.	....
5.	....	14.	....
6.	....	15.	....
7.	....	16.	....
8.	....	17.	....
9.	....		

▶ Dix-huit mots

Panification - ontologie - girafe - festival - valoriser - zébrer - rétamer - mésestimer - mévente -

testament - mensonge - gestion - ondulatoire - restituer - énormément - mental - alimentaire - revêtement.

• *Restitution*

1. .... 10. ....
2. .... 11. ....
3. .... 12. ....
4. .... 13. ....
5. .... 14. ....
6. .... 15. ....
7. .... 16. ....
8. .... 17. ....
9. .... 18. ....

▶ Dix-neuf mots

Mouvementé - tétraèdre - dressoir - irrémédiable - blesser - cédille - lévitation - oncle - claustration - onze - zèle - lettre - tresser - sévir - virevolter - terrasser - sertir - tirage - gestion.

• *Restitution :*

1. .... 6. ....
2. .... 7. ....
3. .... 8. ....
4. .... 9. ....
5. .... 10. ....

11. .... 16. ....
12. .... 17. ....
13. .... 18. ....
14. .... 19. ....
15. ....

► Vingt mots

Étourdissement - mentir - tirailler - lésiner - négation - ondulation - ondine - névé - véhémence - cessionnaire - récital - allusive - véritable - blêmir - mirage - généraliste - stérilisateur - sceller - légère - rêche.

• *Restitution :*

1. .... 11. ....
2. .... 12. ....
3. .... 13. ....
4. .... 14. ....
5. .... 15. ....
6. .... 16. ....
7. .... 17. ....
8. .... 18. ....
9. .... 19. ....
10. .... 20. ....

Test des mots mixés

Procédez comme pour le test des mots enchaînés. Ici, le point commun aux mots d'une liste est différent. Vous allez vite le découvrir. Quant à savoir si cette forme est plus facile, ou plus difficile, que celle des enchaînements, c'est à vous qu'il appartient de vous faire une opinion ou de prendre parti.

▶ Liste du mirage

Ramage - magie - mariage - gramme - gémira - réagir - gare - rage - mage - maigre - rami - rame - geai - germe - mire.

• *Restitution :*

1.	....	9.	....
2.	....	10.	....
3.	....	11.	....
4.	....	12.	....
5.	....	13.	....
6.	....	14.	....
7.	....	15.	....
8.	....		

▶ Liste du roule

Roule - route - voûte - moût - goût - coût - croûte - bouter - souder - moudre - coudre - foudre - fondre - pondre - poule.

• *Restitution :*

1. .... 9. ....
2. .... 10. ....
3. .... 11. ....
4. .... 12. ....
5. .... 13. ....
6. .... 14. ....
7. .... 15. ....
8. ....

▶ Liste du rentier

Rentier - sentier - dentier - venter - vanter - ventre - rentrer - retirer - réitérer - reître - reines - rênes - renne - sente - rente.

• *Restitution :*

1. .... 9. ....
2. .... 10. ....
3. .... 11. ....
4. .... 12. ....
5. .... 13. ....
6. .... 14. ....
7. .... 15. ....
8. ....

▶ Liste du semis

Semis - mises - sises - bises - brises - débris - démises - remises - rimes - mires - sire - cire - dire - pire - brie.

• *Restitution :*

1. ....
2. ....
3. ....
4. ....
5. ....
6. ....
7. ....
8. ....
9. ....
10. ....
11. ....
12. ....
13. ....
14. ....
15. ....

► Liste du totem

Totem - motte - tome - tomme - tommette - tonte - ponte - conte - comte - condé - sonde - soude - soulte - saoul - raout.

• *Restitution :*

1. ....
2. ....
3. ....
4. ....
5. ....
6. ....
7. ....
8. ....
9. ....
10. ....
11. ....
12. ....
13. ....
14. ....
15. ....

- *Commentaire*

Enregistrez-vous des progrès d'un exercice à l'autre ? Si oui, continuez, vous êtes sur la bonne voie et vous avez certainement trouvé le processus de mise en mémoire qui vous convient le mieux. N'oubliez jamais que, nul n'étant parfait, on peut toujours améliorer un score. Vous pouvez très facilement corser le jeu en réduisant le temps accordé pour l'étude d'une liste, ou le temps accordé pour la restitution.
Sinon, il est temps de vous interroger et de vérifier que vous avez la bonne méthode. Lorsque vous tentez d'apprendre par cœur une liste, établissez-vous des liens entre les éléments de la liste ? Ces liens sont autant de moyens mnémotechniques, autant d'aides. Cultivez la curiosité. Jouez avec les mots et les idées, sans avoir peur de les désacraliser. Bons ou mauvais, vos jeux de mots ne concernent que vous. Ils sont dans votre tête et personne ne les juge. Quel que soit leur niveau de subtilité, ils vous aideront à retenir les éléments présentés. Tentez l'expérience : apprenez en jouant.

Le test de Muriel

Charmante jeune femme de trente ans, Muriel mène une vie active des plus intéressantes. C'est ainsi qu'il lui a été demandé, dans une des associations dont elle est membre, de prendre la responsabilité de la trésorerie. Elle encaisse les cotisations, enregistre et paie toutes les dépenses. Cette fonction, à l'apparence simple, implique davantage de temps de travail qu'il n'y paraît.

Ainsi, certains membres aiment se faire tirer l'oreille :
« Au fait, Alain, as-tu reçu ma lettre ?
– Quelle lettre ? Tu m'as écrit ?
– Tu sais que je t'ai déjà écrit deux fois à propos de la cotisation.
– Ah ! je ne me souviens pas. Je n'ai peut-être pas fait attention. Tu sais, on reçoit tellement de choses. Je me demande quelquefois combien

d'arbres le facteur dépose dans ma boîte en une année.
– Je sais que tu reçois beaucoup de courrier.
– Mais quand je sais que ça vient de toi, je le lis. C'est pour cela que je suis surpris.
– As-tu ton chéquier sur toi ? Peux-tu me régler en espèces ?
– Non, tu sais, j'ai une carte, et juste un peu de liquide. La carte, maintenant, c'est tellement pratique.
– C'est vrai, c'est pratique, mais tu comprends que nous ne pouvons mettre en œuvre un tel système pour quelques cotisations.
– Je comprends. Écoute, je vais penser à toi en rentrant.
– J'y compte bien. Tu sais que si tu ne fais rien aujourd'hui tu seras bientôt hors délais.
– Je te promets de penser à toi.
– O.K., Alain, c'est noté. »

Certains aiment pleurer :
« J'ai reçu ta lettre de relance au sujet de la cotisation, mais, tu sais, ce n'est pas facile pour moi. »
Muriel aurait parié à cent contre un que Julie allait lui dire cela, si elle avait été joueuse. Mais demande-t-on à un joueur de tenir une trésorerie ?

« Rien n'est vraiment facile aujourd'hui. Chacun de nous doit tirer sur les ficelles.
– Oui, mais tout le monde n'a pas deux enfants.
– Julie, ou bien nous nous enfermons dans une discussion stérile parce que je vais encore devoir te dire que tu touches des allocations familiales et autres, que tu ne paies guère d'impôts, que tu es fonctionnaire, et que tu touches tous les mois une rémunération supérieure à celle de plusieurs d'entre nous, ou bien tu me fais tout de suite quatre chèques que je remettrai en banque au rythme d'un par mois.
– Tu es dure avec moi.
– Je fais le travail qui m'est demandé. Tu le sais bien. Si tu veux discuter le paiement de ta cotisation, tu sais que ce n'est pas à moi qu'il faut en parler. Moi, je suis caissière. Point.
– D'accord, je te fais tes chèques, mais tu ne commences à les encaisser que le mois prochain.
– Bien, tu peux compter sur moi. D'ailleurs, nous allons apposer une petite fiche sur chaque chèque avec la date de remise.
– Merci, tu es un ange. »

« Pourquoi faire simple quand on peut faire compliqué » : telle est la devise de John.
« Salut, toi. Tu me dois des sous.

– Ah ! oui. Eh bien, alors, nous sommes à égalité parce que tu ne m'as pas encore payé ta cotisation.
– O.K. J'ai compris. Un point à un.
– As-tu les justificatifs des dépenses ? As-tu fait le total de ce que je te dois ?
– Non, je n'ai pas fait le total. Il y a ce que j'ai acheté pour le pot de l'autre jour, une note de papeterie pour le secrétariat, et puis la fiche d'achat des timbres pour l'expédition des bulletins.
– Veux-tu que nous nous installions à cette table pour faire les comptes ensemble ?
– D'accord, si tu as cinq minutes.
– Je les prends. Veux-tu mettre les factures sur la table ? On va en faire le total.
– Les voici, mais je ne sais si on peut en faire le total parce qu'il faut que tu enregistres les choses séparément.
– Je te propose d'en faire tout de suite le total pour savoir qui doit de l'argent à l'autre.
– Je ne comprends pas pourquoi tu fais ça.
– C'est tout simplement pour savoir si je te fais un chèque ou si tu m'en fais un.
– Moi, je ne te fais pas de chèque. Je paie ma cotisation en espèces.
– Bon, alors, supposons que tes factures valent huit cent cinquante francs. Comme la cotisation

est de mille sept cent cinquante, il te suffit de me donner neuf cents francs.
– Je ne sais pas si c'est régulier. Il faut que tu enregistres toutes les dépenses, et que tu les enregistres séparément parce que ce n'est pas le même budget. Et moi, j'ai besoin d'un reçu pour la totalité de la cotisation. Je ne veux pas de ton truc. Je veux que tout soit régulier. Tu me fais trois chèques, pour les trois dépenses, et moi je te paie toute la cotisation.
– Moi, je cherche à faire ce qui t'arrange. Je pourrais aussi, si tu veux, te rembourser en espèces. Ce serait peut-être plus pratique aussi pour toi.
– Ah ! oui, mais alors il faudrait que je te fasse des reçus.
– Pour cela, il suffit que tu écrives sur chaque facture "reçu remboursement en espèces le..."
– D'accord, comme ça, je veux bien. Mais, toi, tu enregistreras chaque chose séparément ?
– Bien évidemment. Donc, je te fais un reçu pour ta cotisation. Tu as la totalité sur toi ? Tu me paies tout aujourd'hui ?
– Oui, c'est prévu.
– Voici ton reçu.
– Voici le compte. Si tu veux vérifier...
– Merci. Voyons maintenant les factures du pot.

– Elles sont ici. Tu as l'épicerie, le caviste et la pâtisserie.
– Donc, nous en avons pour deux cent vingt-huit francs. Tu étais arrivé au même total ?
– Je n'avais pas compté. Je te fais confiance, tu sais bien.
– Je te donne les sous et tu me fais le reçu sur les notes.
– Bon, passons maintenant à la papeterie... »
Laissons Muriel et John à leur affaire de tiroir-caisse.

Certains membres ont des habitudes qui leur sont propres :
« Depuis dix ans, je paie le 15 mars, en même temps que les impôts. Tu le sais. Ce n'est pas la peine de m'envoyer des rappels. »

D'autres sont plus attachés à la programmation des choses :
« J'ai regardé mon compte hier. Apparemment, le chèque que je t'ai remis voici quinze jours n'a pas encore été débité. Je suis très surprise. Serait-ce que tu ne l'as pas encaissé ? Si tu l'avais perdu, tu me le dirais ? Cela m'ennuie parce que cela complique mes comptes. J'aime bien être à jour. »

Muriel s'exerce ainsi à naviguer entre tous et toutes sans jamais se départir de son sourire. Œuvrant dans une banque, elle souligne parfois qu'elle en a tellement vu !

« Au moins, au sein du club, je sais que nous nous connaissons et pouvons nous faire confiance. C'est une grande différence. Pour le reste, c'est vrai, chacun a ses manies.
– Peut-être aussi ses responsabilités ?
– Chacun est responsable de lui-même. Chacun est responsable des engagements pris devant les autres.
– Oui, mais chacun a-t-il le sens de l'engagement ? Nous vivons dans une société de consommation où l'on aime être servi et où personne ne se propose pour servir.
– Je te laisse à ta réflexion car la présidente me fait signe. À tout à l'heure.
– Muriel, je t'ai demandé de venir me voir parce que j'ai reçu chez moi un chèque de Gertrude. Veux-tu le regarder ?
– Oui, bien sûr. »
La présidente tend le chèque à Muriel qui l'observe attentivement.
« C'est spécial. Je n'ai jamais vu un chèque rédigé de cette façon. L'ordre des mentions n'est pas respecté. Le nom de la banque n'est

pas très connu. En tout cas, je ne le connais pas.
– Je me demande si elle n'a pas eu l'idée de nous faire une blague. Tu sais que Gertrude est une artiste. Elle a déjà dessiné de faux timbres sur des lettres. Elle pourrait avoir imaginé de tester ton coup d'œil avec ce faux chèque.
– En tout cas, le montant est important. Si tu veux, demain, à mon bureau, je vérifie que la banque existe et que les coordonnées sont réelles, puis je te téléphone.
– D'accord, on marche comme ça. »

Et le lendemain...
« Bonjour, ici Muriel, tu vas bien ?
– Oui, et toi ?
– En pleine forme. J'ai vérifié les données dont je te parlais hier. Tu as bien senti les choses. La banque n'existe pas. Le chèque est donc un petit chef-d'œuvre d'artiste. Je peux te le rendre. Mis sous verre, il peut constituer un souvenir amusant.
– Non, tu le gardes. Le souvenir sera pour toi. Je t'offre le cadre. Je te l'apporterai au dîner de mardi. Mais que faisons nous avec Gertrude ? Elle doit attendre nos réactions. Elle doit se demander si nous avons remis le chèque en banque.

– Nous aurions pu le faire, mais, dans ce cas, nous aurions perdu une œuvre d'art. En fait, j'y ai pensé et j'ai imaginé une lettre, aussi fausse ou fantaisiste que le chèque, que nous pourrions adresser à Gertrude. Je suis partie d'une hypothèse : la remise à l'encaissement. Je me suis interrogée sur les suites possibles et j'ai imaginé un organe officiel susceptible d'écrire à Gertrude. Si tu veux, je t'adresse le projet de lettre et, à réception, tu me dis ce que tu en penses.
– D'accord, on marche comme ça. À bientôt. Je t'embrasse. »

Muriel a donc mis sous pli à destination de la présidente la lettre de la page suivante.

« Chère Muriel, ici Florence, je ne te dérange pas au bureau. Je préfère laisser un message sur ton répondeur. J'ai beaucoup apprécié la lettre à Gertrude. Je crois que c'est une bonne blague à lui faire en réponse. J'ai déjà mis la lettre à la poste. Tu es formidable. Je t'embrasse. À bientôt. »

Deux jours plus tard, un autre message est enregistré sur le répondeur de Muriel.
« Salut à toi, ici c'est Gertrude. Bravo ! Je me suis fait avoir. Je me suis fait un sang d'encre.

INSTITUT NATIONAL BANCAIRE

1789, quai de la Monnaie
PARIS 25ème Arrondissement

Le 34 février 2018,

Madame Gertrude ARTIST
999, rue Picassiett
AUDIAB EN VAUVERT

Nos références : DIR/FRAUDES/ED/654/C.

Madame,

Une banque, adhérente de notre Institut, nous a fait remettre un chèque signé par vous.

Le dit chèque n'a pas pu être encaissé pour la raison suivante :
- La banque d'émission n'est pas enregistrée, et la domiciliation semble erronée.

Voulez-vous avoir l'obligeance de nous faire parvenir dans les trois jours les documents en votre possession qui nous permettraient d'identifier cet organisme ?

Nous nous devons d'attirer votre attention sur l'importance de cette demande.

En effet, toute absence de réponse à la présente entraînera automatiquement le dépôt d'une plainte pour usage de faux, et abus de confiance.

Dans l'attente de vous lire, nous vous présentons, Madame, nos salutations distinguées.

Le Directeur de la
Répression des Fraudes :

G. CROQUEFROD

J'ai cherché partout le téléphone de votre institut, avant de comprendre que j'avais été piégée. Vous êtes très forts en ce qui concerne les fausses lettres officielles. Tu sais, Muriel, ce que c'est que la vie d'artiste. Je suis très distraite. La dernière fois, j'ai encore laissé passer le jour de la réunion. J'y ai pensé le lendemain. C'était trop tard. Je t'embrasse. Embrasse Florence pour moi quand tu la vois. Et pour le reste, ne t'inquiète pas, je te mets un vrai chèque à la poste dès aujourd'hui. Bises. »

Le test

Le récit a été interrompu. Les aventures de Muriel seraient trop longues pour les raconter toutes ici. Sans revenir au texte sous quelque prétexte que ce soit, répondez au questionnaire ci-après. Les questions posées sont uniquement des questions de mémoire.

1. Quel est l'âge de Muriel ?

....

2. Où travaille Muriel ?

....

3. Comment s'appelle le président de l'association ?

....

4. Comment Julie paie-t-elle sa cotisation ?

....

5. Comment Alain propose-t-il de payer sa cotisation ?

....

6. Comment John paie-t-il sa cotisation ?

....

7. Quelle est la profession de Gertrude ?

....

8. Quel est le signataire de la lettre reçue par Gertrude ?

....

9. Où habite Gertrude ?

....

10. À quoi s'expose Gertrude ?

....

► Solutions - Réponses types au questionnaire

Voir l'encadré de la page suivante.

▶ Évaluation

Dix bonnes réponses témoignent d'une compréhension, d'une bonne lecture et d'une bonne mémorisation des éléments essentiels de la courte histoire présentée.
Huit bonnes réponses constituent un fort bon résultat.
Si votre score est inférieur, interrogez-vous sur votre pratique de la lecture.
Pratiquez-vous une lecture active ? Recensez-vous les éléments en même temps que vous lisez ? Interrompez-vous régulièrement la stricte lecture du texte pour interroger le texte et y rechercher la réponse à telle ou telle question ? Interrompez-vous régulièrement votre lecture pour faire de tête une rapide synthèse de ce que vous venez de lire avant de passer à la suite ? À la fin d'un texte, refaites-vous une synthèse rapide ?
C'est un réflexe à acquérir que de s'arrêter dès après lecture d'un texte pour répondre mentalement aux questions suivantes.
– Que m'a apporté ce texte ?
– Quels liens existent entre ce que je viens d'acquérir et ce que je savais déjà ?
– Que dois-je retenir de ce que je viens de lire ?

1. Muriel a la trentaine.
2. Elle travaille dans une banque.
3. C'est une présidente : Florence.
4. En se faisant tirer l'oreille et en quatre chèques.
5. Il aurait aimé pouvoir payer par carte.
6. Il la paie en espèces.
7. Gertrude est artiste.
8. Le signataire est le directeur de la répression des fraudes : C. Croquefrod.
9. 999, rue Picassiett à Audiab-en-Vauvert.
10. Une plainte pour usage de faux et abus de confiance.

Le jeu des codes

C'est déjà arrivé. Vous vous êtes retrouvé devant la porte d'entrée de l'immeuble dans lequel réside cet excellent ami qui vous a invité à dîner. Mais il vous est impossible d'entrer. Vous avez oublié le code !

Normal, diront certains, les codes sont tellement tordus. Et il y en aurait tant à retenir !

Gênant, pensez-vous. Il faut faire quelque chose.

Ce jeu a été conçu pour vous. Des codes vous sont proposés. Pour chaque code, vous allez chercher l'association d'idées, la petite histoire drôle qui vous permettra de le mémoriser.

Donnez-vous trois minutes par code, donc par association à trouver. Si vous ne trouvez pas, passez au code suivant. Cherchez dans toutes les directions. Cherchez en regardant les objets autour de vous et, surtout, en écoutant tout ce qu'ils évoquent.

Évidemment, lorsque vous aurez employé vos talents à trouver des procédés pour tous les codes présentés, vous pourrez jeter un œil sur les idées suggérées par l'auteur. Attention ! Ces idées ne constituent pas des modèles. Elles ne sont pas nécessairement bonnes pour vous. Elles sont là à titre d'exemples, pour vous montrer ce que d'autres ont trouvé ou choisi parce que l'association leur convient et qu'elle leur semble facile à retenir.
Bien entendu, vous pouvez jouer à ce jeu avec votre famille. Il vous suffit d'annoncer le code, de donner à chacun trois minutes pour écrire son association d'idées sur un bloc de papier et, ensuite, de fêter le meilleur pourvoyeur d'idées.

Les codes du jeu

A.	7	2	7	B	2
B.	1	4	2	8	A
C.	3	4	E	2	1
D.	4	8	D	5	4
E.	B	A	4	2	1
F.	A	2	3	D	1
G.	C	1	7	9	3

• *Des suggestions pour les codes*

Les suggestions qui sont faites ci-dessous sont banales et très faciles à retenir parce que courantes. Évitez tout ce qui est trop « tiré par les cheveux », vous risquez d'en rire aujourd'hui mais d'être incapable de reconstituer l'histoire demain !

A. 7 2 7 B 2

Le 727 est peut-être l'avion qui vous a transporté sur le lieu de vos dernières vacances. Le B peut évoquer le constructeur du 727, Boeing. Le B2 est un avion bombardier relativement connu.

B. 1 4 2 8 A

Que 28 soit le double de 14 ne vous a pas échappé. Que le chiffre 1 soit le premier chiffre impair tout comme 4 est le deuxième chiffre pair, cela va de soi. Il est évident que les troisième et quatrième chiffres se déduisent des deux premiers. La première paire est égale au double de 7, la seconde au quadruple. Quant à la lettre A, elle nous ramène au premier chiffre, premier de tous.

C. 3 4 E 2 1

Vous connaissez l'Everest, au moins de nom. C'est un sommet réputé. Quoi de plus normal dès lors que les chiffres croissent à son approche ou décroissent si l'on s'en éloigne ? Bien que ces chiffres ne soient pas de valeur très importante, et que cela choque quelque peu lorsqu'on connaît la majesté de ce « toit du monde ». On n'aurait pu faire moins. Ce sont les quatre premiers chiffres, les plus faibles ou les moins importants, qui ont été choisis par le farceur, ou le distrait, qui a conçu le code. On commence par 34, le plus important, et on termine par 21, le plus faible.

D. 4 8 D 5 4

Il y a peut-être un Daniel ou une Denise autour de vous, née en 54, ou né en 48. Non, il n'y en a pas. Alors, remarquons que les deux nombres font partie de la table de 6. 6 multiplié par 8, et 6 multiplié par 9, tout cela est très voisin et vous fait penser au système D ! 54 est un millésime connu de tous les amateurs de rock, qui est la danse par excellence des années cinquante.

E. B A 4 2 1

Les uns, nostalgiques du service militaire, et les autres, cinéphiles amateurs de films d'action, ont déjà choisi « Base aérienne 421 ». Quant à vous qui en êtes encore au b.a.-ba de votre réflexion, peut-être allez-vous faire vos premières armes au 421 ? On peut y jouer sans boire d'alcool. Votre mémoire n'en souffrira pas.

F. A 2 3 D 1

Le technicien qui a défini ce code devrait recevoir un prix. A est la première lettre de l'alphabet. 2 et 3 sont les deuxième et troisième chiffres, tandis que D est la quatrième lettre. Il fallait être « numéro un » pour mettre au point un tel code...

G. C 1 7 9 3

Voici un code historique, ou, en tout cas, millésimé. Le C signifie-t-il « cru » (pour millésime) ou « Convention » parce que vous êtes féru d'histoire ? C'est à vous de choisir car c'est vous qui allez devoir retenir ce code pour entrer chez votre ami et jouir de son hospitalité.

• *Conseils pour retenir un code*

– Associez les chiffres ou nombres à un membre de votre famille : son âge, son année de naissance, son jour de naissance, le numéro de sa maison, son code postal, l'année de son mariage...

– Associez de la même façon les éléments du code à la personne à laquelle vous rendez visite. C'est encore plus pertinent.

– Associez ces chiffres ou ces lettres à un sigle qui vous est connu et que vous pourrez retrouver parce qu'il fait partie de vos références coutumières.

– Inventez une histoire drôle... et mémorable !

– Méfiez-vous de toute construction trop farfelue et impossible à reconstituer. Travaillez dans le style qui est le vôtre. Vous ne vous perdrez pas.

Le jeu des formes

Aiguisez votre vigilance. Exercez votre curiosité. Vous mémoriserez mieux et davantage. Voici un petit jeu pour réveiller votre œil.

Installez-vous dans un fauteuil, le livre sur vos genoux, ou choisissez la chaise et la table si vous préférez. Ne regardez que votre livre et votre stylo. Accordez-vous cinq minutes pour coucher sur le papier tout ce qui est rectangulaire dans votre maison ou votre appartement.

Écrivez :

....

....

....

....

....

....

Faites de même pour tout ce qui est triangulaire, tout ce qui est ovale, ou tout ce qui est rose. Vous imaginerez sans peine de nombreux autres critères de listes.

Vous pouvez aussi proposer à votre famille de s'associer à vous. Vous verrez que les autres vous font voir des choses que vous ne remarquiez pas.

Le jeu des analogies

Une analogie est « une ressemblance établie par l'imagination entre deux ou plusieurs objets de pensée essentiellement différents », nous enseigne le *Petit Robert.* Voici un exemple d'analogie : mer est à océan ce que chambre est à appartement. Cherchez, pour chacun des cas ci-dessous, une analogie.

A. Tasse est à soucoupe
ce que .... est à ....

B. Hexagone est à triangle
ce que .... est à ....

C. Cardiologue est à médecin
ce que .... est à ....

D. Gondole est à bateau
ce que .... est à ....

E. Gond est à porte

ce que .... est à ....

F. Sermon est à homélie

ce que .... est à ....

Vous pouvez jouer à ce jeu en famille. Vous allez beaucoup vous amuser et, simultanément, exercer votre esprit à rechercher et à créer des associations, ce qui vous sera précieux pour mémoriser des connaissances nouvelles.

Le jeu des enchaînements

Ce jeu a encore pour objectif de vous permettre d'acquérir de la souplesse et de la créativité dans les associations d'idées ou de mots, piliers sur lesquels repose toute mise en mémoire réussie.
« Marabout, bout de ficelle, selle de cheval... », vous connaissez cet enchaînement.
Vous connaissez également ce travail de créativité qui consiste à rebondir sur le dernier mot cité. Exemple : balle, tennis, blanc, jupe, écossais...

Jeu de sons

Choisissez un mot de départ. Par exemple, vous choisissez « départ ». Vous continuez : partage, tajine, gynécée, céphalée, légèreté... Fixez-vous des objectifs en nombre de mots et en temps. Par exemple, imposez-vous de constituer une chaîne de vingt mots au minimum, en cinq minutes maximum, à partir d'un mot donné. Naturellement, quand le mot de départ a été choisi, vous ne pouvez revenir en arrière et le changer. Si cela coince, utilisez le dictionnaire. Vous y retrouverez des mots que vous connaissez, mais auxquels vous ne pensez pas.

Jeu d'idées

Pour cette forme, qui constitue un véritable travail de créativité, il est souvent plus agréable de travailler à plusieurs, à trois ou plus. Une personne seule diverge moins et a souvent tendance à naviguer dans le même cercle. Associez votre famille et vos amis à ce jeu. Lorsque vous aurez de l'expérience, vous ferez des suites tout seul, pour le plaisir de jouer avec les concepts. Et vous vous paierez des fous rires que vous serez heureux de partager !

Le jeu des sigles

Voici un autre jeu qui va vous permettre de vous amuser tout en vous exerçant à trouver des associations d'idées. Pour ce jeu, vous allez devoir sortir du cadre habituel de vos références. Il vous faut imaginer. Une entière liberté vous est accordée. Profitez-en !
Pour chaque sigle présenté, il vous est demandé de trouver une signification. Bien entendu, cela n'est pas un test de connaissances. Vous ne devez pas chercher la signification réelle de tel sigle s'il existe bel et bien. Vous devez, au contraire, imaginer une interprétation possible.
En France, il existe une taxe appelée « TVA», pour « Taxe sur la Valeur ajoutée ». Avant l'instauration de cette taxe, ses adversaires ont lancé un slogan pour la dénigrer : « Tout Va Augmenter ». Ce détournement de sigle est un exemple du jeu auquel vous êtes invité. N'hésitez pas à privilégier le détournement

ludique, à moins que le rire ne soit déconseillé par votre médecin!

Trouvez des significations pour chaque sigle.

1. CSN: . . . .

2. NPD: . . . .

3. PLQ:. . . . .

4. CEQ: . . . .

5. TGV: . . . .

6. ONU:. . . . .

7. OPEP:. . . . .

8. CRTC: . . . .

9. PNB: . . . .

10. REÉR: . . . .

11. FMI: . . . .

12. FAO: . . . .

13. CSST: . . . .

14. RRQ: . . . .

15. STCUM: . . . .

16. RAAQ: . . . .

17. SAQ: . . . .

18. OCDE: . . . .

19. PME: . . . .

20. OTAN: . . . .

21. MTS: . . . .

22. GRC: . . . .

23. HLM: . . . .

Vous trouverez aisément d'autres sigles dans votre journal. Cette espèce barbare ne fait que proliférer. Il n'y a, bien évidemment, pas de réponse correcte ou incorrecte à ce jeu. Néanmoins, pour le cas où vous n'auriez pas trouvé de signification pour l'un ou l'autre de ces sigles, des suggestions de significations vous sont offertes. Elles ne constituent pas des modèles. Vous avez certainement trouvé de meilleures idées.

▶ Suggestions de significations

1. Cruauté Sans Nom, C'est Sûr que Non

2. Nouilles pour Dîner

3. Peu Loquace le Quidam, Poutine Libre du Québec

4. Club des Équeuteurs de Quenouilles

5. Tu Grandis Vite, Taxe sur les Grandes Voilures, Tribu des Gourous Velléitaires

6. Ouvert la Nuit Uniquement

7. On Parle Encore de Politique, Oune Pizza Extra Pepperoni, Ordre des Piétons Épris de Paris

8. Commence par Régler Tes Créances, Club de Ritalin Tout Compris

9. Pourquoi Nourrir les Bélugas, Patate du Nouveau-Brunswick

10. Retour En Érythrée par le Rwanda

11. Famille Monoparentale Italienne, Fédération Mondiale des Invertébrés

12. Fais Attention à Odette

13. Club des Syndiqués Sans Travail, Comment Survivre Sous la Table

14. Roger Rentre au Québec

15. Société des Trifluviens Circulant à l'Université de Montréal, Syndicat des Terribles Coqueluches de l'Unité du Maire

16. Ramasse tes Affaires pis Artourne à la Queue

17. Soirée Aux Quilles

18. On Coupe Demain Encore

19. Petite Mais Énergique...

20. Oeuf Tourné Avec du Nutella

21. Moi? T'es Sûr?

22. Gelées Rugueuses et Cassées comme dans *avoir les lèvres GRC...*

23. Ho! Les Mains, Hamburger Laitue Mayonnaise

▶ Conseil pour vous exercer en famille

Vous roulez sur la route des vacances ou sur celle, non moins riche de promesses, qui vous mène chez tante Berthe pour le déjeuner dominical. Vous avez déjà remarqué que les numéros d'immatriculation comportent des lettres. Proposez à votre famille de chercher des significations ludiques pour les lettres de la voiture qui vous précède, pour celles du bolide qui vient de vous dépasser, pour tous ceux que vous croisez. Le gagnant est celui qui soumet la proposition de signification la plus amusante. Le trajet va vous sembler bien trop court. Vous allez rire beaucoup. Faites attention toutefois à ne pas gêner le conducteur ou à ne pas lui demander une manœuvre dangereuse pour le seul plaisir de lire une plaque de plus.

▶ Conseil pour vous exercer en famille

Vous roulez sur la route des vacances ou sur celle, non moins riche de promesses, qui vous mène chez tante Berthe pour le déjeuner dominical. Vous avez déjà remarqué que les numéros d'immatriculation comportent des lettres. Proposez à votre famille de chercher des significations ludiques pour les lettres de la voiture qui vous précède, pour celles du bolide qui vient de vous dépasser, pour tous ceux que vous croisez. Le gagnant est celui qui soumet la proposition de signification la plus amusante. Le trajet va vous sembler bien trop court. Vous allez rire beaucoup. Faites attention toutefois à ne pas gêner le conducteur ou à ne pas lui demander une manœuvre dangereuse pour le seul plaisir de lire une plaque de plus.

Test de lecture

Lisez attentivement, une seule fois, et sans prendre aucune note ailleurs que dans votre tête, l'article qui suit.

Le temps perdu

Si le pain perdu, cher à nos grands-mères, faisait les délices de notre petite enfance, le temps perdu constitue, lui, la hantise de nos vies d'adultes. Parce que nous avons des projets plein la tête, parce que nous prenons conscience du temps nécessaire pour les réaliser, nous ne voulons plus subir, nous ne voulons plus que d'autres nous prennent notre temps. Notre temps, c'est notre vie. C'est évident, tout le monde le sait. La vie n'est que du temps. Nous voulons être maître de l'utilisation de notre temps, parce que nous sommes responsable de notre vie.

Les problèmes de gestion du temps sont souvent évoqués dans l'univers professionnel. Chacun veut réussir sa vie professionnelle. Chacun veut atteindre ses objectifs, faire bien le travail convenu, mais personne ne veut sacrifier sa vie sociale ou sa vie privée à sa seule vie professionnelle. Des consultants ont travaillé cette question. Ils ont enquêté. Ils ont analysé l'activité de nombre de personnes au travail. Ils ont, cela ne surprendra personne, davantage analysé les problèmes rencontrés par les travailleurs détachés de toute chaîne de production, et se sont particulièrement penchés sur les difficultés rencontrées par les employés de bureau. Les difficultés recensées peuvent être regroupées en quinze catégories que nous allons brièvement décrire ici.

Le plus souvent, tout un chacun s'accorde à dire que le téléphone est le plus grand ennemi du travail. C'est pourtant un outil de travail dont personne ne voudrait se passer. Néanmoins, nous ne connaissons pas un seul travailleur qui n'ait pensé, un jour ou l'autre, à ce propos critique lancé par un humoriste à un nouvel abonné au téléphone : « On vous sonne, et vous répondez ».

Le téléphone est le premier des perturbateurs. Il sonne trop souvent. Nous nous croyons toujours obligé de répondre sur-le-champ. Un premier résultat est que nous donnons la priorité à des demandes mal formulées par téléphone et laissons, dans le même temps, s'empiler les dossiers correctement remplis et structurés reçus par courrier. Le téléphone est le plus souvent très mal utilisé. Il suffit, pour s'en convaincre, de compter le nombre d'appels qui se terminent par la confirmation de l'envoi d'un courrier qui, tout seul, aurait largement suffi. Nous avons choisi de baptiser « Temps Voraces » ces quinze perturbateurs. Le téléphone est le premier d'entre eux.

Le deuxième est très proche du premier. Les interruptions de travail dues aux collaborateurs et aux collègues sont assez semblables. Simplement, ils trouvent plus facile de venir nous déranger pour un oui ou pour un non. Ils agissent tout simplement comme les personnes qui, face à un distributeur automatique, trouvent plus facile de demander à l'utilisateur précédent de leur en expliquer le fonctionnement. L'utilisateur précédent a lu le mode d'emploi et l'a suivi. Pourquoi devrait-il, en plus, jouer les guides bénévoles ? Lorsque les uns et les autres débarquent dans votre bureau à toute heure, sans crier gare, ils vous font ce qu'ils ne veulent pas que vous leur fassiez. Ils interrompent votre travail pour vous demander ce qui se trouve dans le classeur du deuxième tiroir de leur bureau. Mettre un terme à ces abus n'est pas facile et demande des efforts d'explication particulièrement patients, mais ce n'est pas une raison pour y renoncer.

Le troisième « Temps Vorace » recensé est le supérieur hiérarchique. Un supérieur inorganisé désorganise tous ses collaborateurs. Comment peut-on imaginer qu'une assistante compétente puisse être efficace si elle est dérangée vingt-huit fois, ou davantage, dans la journée ? Comment serait-il possible que M. Fasol, homme intelligent et travailleur, soit efficace dans son travail s'il est interrompu plusieurs fois par jour, si de fausses urgences lui sont assenées régulièrement et si les objectifs sont variables en fonction de la vitesse du vent, des phases de la lune et du degré d'hygrométrie ?

Dans le même ordre d'idées, les visiteurs débarquant sans rendez-vous sont une plaie. Bien évidemment, vous allez me dire que ces gens ne sont pas intelligents. S'ils l'étaient, ils prendraient rendez-vous. En effet, ainsi, les dossiers auraient été préparés et étudiés. Ils seraient mieux reçus par une personne connaissant les différents points des dossiers sur le bout des doigts. Les risques d'erreurs seraient écartés. Tout le monde serait gagnant. Mais les individus qui s'imposent ainsi sans rendez-vous sont-ils intelligents, organisés et efficaces ?

Notre cinquième « Temps Vorace » est constitué des pertes de temps générées par les défauts ou lacunes de formation des collaborateurs. Celui qui ne comprend pas qu'il est plus rentable d'investir une heure dans la formation d'un collaborateur plutôt que de l'obliger à déranger pour demander, sans cesse, des éléments relevant de la même méthode ou du même domaine de compétences, celui-là n'est pas capable d'encadrer.

Nous venons de passer le cap du premier tiers de notre liste. Nous avons d'abord dénoncé tout ce qui vient de l'extérieur et interrompt notre travail. Il convient de noter également que nous ressentons ces interruptions comme imposées par les autres, et que nous hésitons souvent à y faire barrage.

Le désordre est, lui, un problème strictement personnel. Si un individu refuse de faire les efforts nécessaires pour clarifier ses idées, bien les structurer et les ordonner, les autres ne peuvent rien pour lui. Si une personne fait place nette sur son bureau en enfouissant tout dans des dossiers mal pensés et mal gérés, les autres ne peuvent rien pour elle. Les gens désordonnés perdent du temps, mais ils en font perdre aussi énormément aux autres, comme nous l'avons déjà démontré.

Les entreprises sont encore nombreuses dans lesquelles les employés du siège se plaignent de réunionite aiguë. Dans les nombreux séminaires que nous avons conduits, plusieurs fois, la question du coût des réunions a été posée. Jamais un cadre ou un dirigeant n'ont été capables de nous dire le coût des réunions organisées par eux. C'est là une lacune grave, et chacun des stagiaires a pu en prendre conscience lorsque nous avons calculé ce coût. Les réunions qui commencent en retard, celles qui n'ont pas d'ordre du jour ou d'objectif préalablement annoncé, et celles qui n'ont été préparées par personne coûtent très cher de plusieurs façons. Elles coûtent financièrement parce que les personnes qui y participent sont salariées par l'entreprise. Elles coûtent horriblement cher en « démotivation ». En effet, les collaborateurs sont dissuadés de faire des efforts face à une telle gabegie. L'inefficacité des dirigeants n'incite pas à travailler ! Les réunions inutiles sont notre septième « Temps Vorace ».

En huit, nos experts ont placé l'absence de programme de journée. Ils ont constaté avec stupeur que bien des personnes, qui refuseraient d'embarquer dans un avion dont le pilote n'aurait pas déposé de plan de vol, n'ont aucun programme de travail pour leur journée. Cette pratique de navigation à vue les amène à ne faire que ce qui leur est demandé par les personnes qui les interrompent. Ces capitaines au petit pied présentent un avantage pour les autres. Ceux-ci peuvent se délester sur eux des petites tâches vite effectuées. Il suffit de le leur demander et d'obtenir que cela soit fait sur l'instant. Mais vous comprenez tout de suite l'aspect malsain de la chose, et vous vous doutez bien de l'issue probable. Un jour viendra où, constatant que le petit capitaine ne fait pas le travail pour lequel il est payé, son supérieur hiérarchique sera contraint d'avoir avec lui un entretien définitif.

L'absence de programme est suivie d'un autre facteur qui est l'incapacité à prendre des décisions. Nous avons écrit « incapacité » tout comme nous aurions pu écrire « difficulté à prendre des décisions ». Ce dernier libellé est plus diplomatique, mais vous savez qu'il recouvre une seule et même réalité. Quelle différence d'efficacité mesurer entre une personne qui ne prend aucune décision et une autre qui prend ses décisions trop tard ? Aucune des deux ne fait le nécessaire en temps opportun. Les causes possibles de l'indécision sont diverses. Elles peuvent être le fait d'une lacune de formation : le supérieur hiérarchique n'a pas transmis son savoir-faire, à savoir ici ses processus et critères de décision. Une cause toute différente est l'indécision propre à l'incompétence de la personne. Une autre encore est le fait de celui qui, timoré et mal à l'aise dans ses chaussures, n'ose assumer aucune responsabilité.

Le dixième « Temps Vorace » est la dispersion. On pourrait dire que l'employé qui ne sait décider de son programme est pratiquement condamné à subir ce « Temps Vorace ». Mais nous avons déjà observé des personnes se dispersant, bien qu'elles aient un programme et qu'elles s'y tiennent. Comme une entreprise doit connaître son métier et veiller d'abord à exceller dans ce métier, tout travailleur doit savoir distinguer ce qui est essentiel de ce qui est accessoire, et, encore, de ce qui est superflu. L'essentiel est ce qui permet d'atteindre les objectifs définis. Rien d'autre n'est important. Des travailleurs se dispersent simplement parce qu'ils sont gentils et, trop polis, n'ont pas appris que l'on peut dire « non ».

Autre « Temps Vorace », la difficulté à dire non est, pour certaines personnes trop courtoises, une véritable maladie très difficilement curable. Il leur faut prendre conscience de l'impérieuse nécessité qu'il y a de mettre en place des barrières protectrices.

Quant au perfectionnisme, douzième dévoreur de temps, il est, lui aussi, un facteur comportemental propre à la personne. L'occasion de répéter que les qualités sont des défauts nous est, ici, une fois de plus offerte. Que certains se refusent à remettre des rapports illisibles, cela est tout à leur honneur. Mais lorsque le rapport s'orne de couleurs, de petits titres encadrés, de fioritures diverses, la question doit être posée : l'entreprise fonctionne-t-elle mieux grâce à cela ? Le coût de ces « chipoteries » est-il justifié par un accroissement du chiffre d'affaires de l'entreprise ? Est-il normal de payer, toujours trop cher, un adulte pour qu'il se livre à du coloriage digne de l'école maternelle ? Vous devez, dès que vous entreprenez un travail, vous fixer une date et une heure limites au-delà desquelles vous savez que vous êtes en dépassement d'horaire. Il est parfaitement humain de vouloir sans cesse améliorer son œuvre, mais chacun peut comprendre qu'il y a aussi une limite rationnelle qu'il est dangereux de dépasser.

Le « Temps Vorace » suivant, dans la liste évoquée, est l'absence de priorités. C'est le fait des personnes inorganisées. Certains prêtent à Guillaume d'Orange la citation suivante : « Il n'y a pas de vent favorable pour celui qui ne sait où il va. » Les pertes de temps sont énormes et constituent presque un état permanent chez celui qui ne sait ni où il va ni comment il y va. Si vous n'avez pas décidé de vos objectifs, vous ne pouvez savoir si les efforts entrepris sont positionnés dans la bonne direction !

L'avant-dernier ennemi est l'absence de délégation, ou la délégation insuffisante. Si vous ne déléguez pas, vous devez tout vérifier de A à Z, sans cesse être sur le dos des autres, voire, au pis, tout faire ou tout refaire vous-même. Déléguer s'apprend. Apprenez. Formez-vous.

En dernière position, nous avons inscrit le « Temps Vorace » le plus évident, le plus criard, celui qui est le plus souvent dénoncé par les autres, c'est-à-dire par les envieux et autres jaloux. Notre société est ainsi faite que chacun voit très bien le temps perdu par les autres dans les papotages de couloirs, les pauses café, les pauses thé, les pauses techniques, les repas dits d'affaires, les réceptions, les pots de fleurs et ceux que l'on déverse dans les gosiers, et encore les cocktails snobs ou demi-mondains. Chacun doit connaître son travail et savoir où celui-ci s'arrête. Si vous savez cela, vous savez aussi à partir de quel stade vous avez délaissé le travail pour vous livrer au plaisir personnel.

Notre panorama est vaste. Beaucoup est à faire pour celui qui veut améliorer la gestion de son temps. Commencez par vous attaquer au fauteur de pertes le plus important pour vous, c'est-à-dire à celui qui vous nuit le plus. Lorsque vous en aurez fini avec lui, vous vous attaquerez aux autres avec une énergie décuplée par les premiers résultats obtenus. Que les vents vous soient favorables !

Vous avez lu cet article d'une traite, sans vous attarder, sans revenir en arrière.
Maintenant, prenez un stylo et répondez aux questions ci-après.

1. Comment l'auteur nomme-t-il les facteurs de perte de temps ?

....

2. Combien en recense-t-il ?

....

3. Dressez-en la liste :

....

....

....

....

....

....

....

4. Quel conseil l'auteur donne-t-il dans la conclusion de son article ?

....

....

Si vous avez parfaitement répondu à ces quatre questions et, en particulier, si vous avez

réussi à restituer la liste des quinze « Temps Voraces », vous pouvez vous féliciter, tant pour votre capacité de concentration, que pour votre « savoir-lire » et votre mémoire instantanée.
Il vous reste à écrire ces quatre questions sur une fiche, sans relire ni l'article ni vos réponses, et à tenter de répondre à nouveau aux questions dans vingt-quatre ou quarante-huit heures.

Test des figures

Premier test

Dans ce test, cinq figures vous sont présentées. Vous devez les examiner attentivement pendant une minute. À l'issue de ces soixante secondes, vous devez cacher les cinq figures présentées, puis, ensuite, tenter de les retrouver sur la grille qui vous est indiquée. Naturellement, dans cette grille, les figures présentes sont diverses et variées et quelques-unes seulement font partie des cinq que vous avez étudiées. Face à la grille, vous disposez de cinq minutes pour repérer et noter toutes les cases comportant l'une ou l'autre des cinq, reproduite à l'identique.
Accordez-vous soixante secondes pour étudier ces cinq figures.

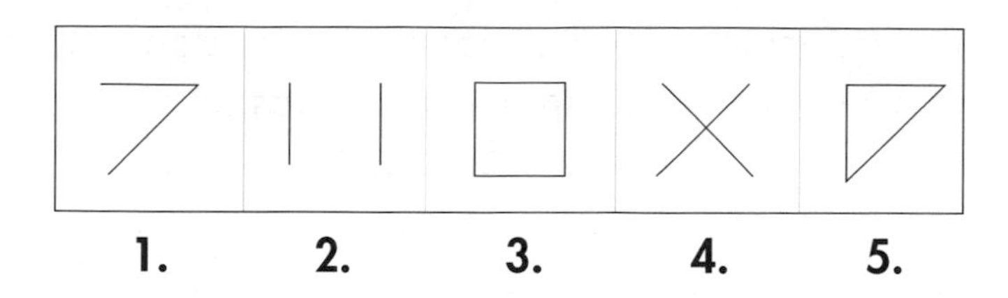

Dès que la minute est écoulée, cachez ces dessins.

Voici la grille dans laquelle vous devez retrouver les figures étudiées...

	1.	2.	3.	4.	5.	6.
A						
B						
C						
D						
E						
F						

Écrivez ici les coordonnées des cases dans lesquelles vous avez retrouvé les figures étudiées :

....

....

....

....

▶ Solutions

Voir l'encadré se trouvant à la page 171.
Il y avait donc huit réponses correctes à donner.

Écrivez ci-après vos nombres de réponses :
- nombre de réponses correctes : .....
- nombre de réponses incorrectes : .....

Après avoir réfléchi sur vos résultats et compris les raisons de vos erreurs, abordez le test suivant.

Deuxième test

Ce second test est semblable au premier. La règle du jeu est la même.

Regardez attentivement pendant une minute, maximum, les cinq figures présentées ici.

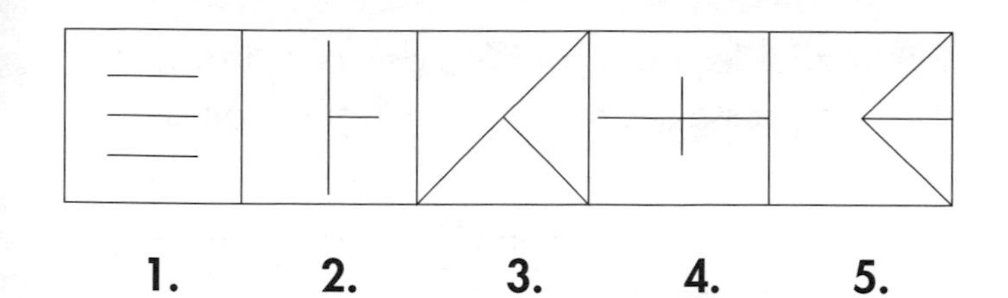

Dès que les soixante secondes sont écoulées, cachez ces figures et attaquez la grille qui suit.

Voici la grille.

	1.	2.	3.	4.	5.	6.
A						
B						
C						
D						
E						
F						

Écrivez ici les coordonnées des cases dans lesquelles vous avez retrouvé les figures étudiées :

....

....

....

....

► Solutions

Voir l'encadré se trouvant à la page 171.
Il y avait donc douze réponses correctes à donner.

Écrivez ci-après vos nombres de réponses :
– nombre de réponses correctes : .....
– nombre de réponses incorrectes : .....

Avez-vous progressé ? Est-ce dû à l'amélioration de votre technique de repérage ? Votre mémorisation des figures a-t-elle été améliorée ? Écrivez tout de suite sur une petite fiche vos réflexions ou le petit truc qui fonctionne et qui vous convient.

► Solutions du premier test

- La figure n° 1 se retrouve en B2 et E5.
- La figure n° 2 est absente de cette grille.
- La figure n° 3 est présente en C3 et F6.
- La figure n° 4 est répétée trois fois, en A3, B5 et F2.
- La figure n° 5 se retrouve en E1.

► Solutions du deuxième test

- La figure n° 1 est présente en B3, D4 et F1.
- La figure n° 2 se retrouve en C6 et E2.
- La figure n° 3 a certainement été repérée par vous en A4 et E5.
- La figure n° 4 est représentée trois fois : B1, C4 et F4.
- La figure n° 5 est présente en D3 et F6.

Le nombre perdu

Le nombre perdu est 128. Exercez-vous à le retrouver dans le cadre ci-dessous. Votre temps est compté. Vous disposez d'un maximum de trois minutes pour repérer et souligner ce nombre, dans ce cadre, autant de fois qu'il s'y trouve. Pour que le jeu soit intéressant, il faut prendre en compte toute suite des trois chiffres composant le nombre et présentée dans l'ordre. À votre crayon !

12345 59876 987 128900 4848421
098182 31289543 098 7676781285
456 78931258 34512845 49 128 34
7812688 873212699 987128
3713858 100128 445528 3971289
79087 4654776 243555 12890
76128 23765 312893 34128939
67124 95412837 6597236 543 903
198 129 7741280 788632 328 6543
90756 56565 28 7899 123722 098
12845 9876128 5454124 89 23128
465129 356412897 45682 95874
85762 821 3457 57 23348098 897
8763 328 32218 387821736 43
82118 0987 453 1276 87987
1287438 345987 2345 124 47 68
234 435897 0987342 9876124
897641 12587 435 9087 2345 3456
983494 8972378 837298 12436 435
90872 23414 4598 217342 9845
98234 893127 2342 23556 987 9087
908721 12945 4231283 5634 80980

Voir la solution à la page 178.

▶ Commentaire

Le nombre 128 était présent à vingt reprises dans ce cadre. Aviez-vous repéré chacune des vingt présences ? Ce type de jeu est très utile pour développer la mémoire car on ne peut mémoriser que ce que l'on a perçu. En exerçant votre œil à regarder et à tout voir, y compris les détails, vous percevez et traitez davantage d'informations.

Un autre exercice

Si vous n'avez pas repéré toutes les apparitions du nombre recherché dans le premier exercice, prenez votre revanche avec le second. Pour changer un peu, cet exercice est constitué de mots, de phrases, bref, de lettres. Ce sont les suites de deux voyelles, composées de la lettre « i » précédée d'une autre voyelle, que vous devez repérer. Limitez-vous à trois minutes, maximum. À votre crayon !

« Il y a des envieux qui paraissent tellement accablés de votre bonheur qu'ils vous inspirent presque la velléité de les plaindre. » (Edmond et Jules de Goncourt.)
« La plupart des erreurs des hommes viennent bien plus de ce qu'ils raisonnent sur de faux

principes, que non pas de ce qu'ils raisonnent mal suivant leurs principes. » (Pierre Nicole.)
« Le moins mauvais gouvernement est celui qui se montre le moins, que l'on sent le moins et que l'on paie le moins cher. » (Alfred de Vigny.)
« En général, il faut se redresser pour être grand : il n'y a qu'à rester comme on est pour être petit. » (Marivaux.)
« Nous sommes habitués à juger les autres d'après nous, et si nous les absolvons complaisamment de nos défauts, nous les condamnons sévèrement de ne pas avoir nos qualités. » (Honoré de Balzac.)
« Tous les gestes sont bons quand ils sont naturels. Ceux qu'on apprend sont toujours faux. » (Sacha Guitry.)
« On doit avoir pitié des uns et des autres ; mais on doit avoir pour les uns une pitié qui naît de tendresse et pour les autres une pitié qui naît de mépris. » (Blaise Pascal.)
« Il est vrai qu'on ne peut trouver la pierre philosophale, mais il est bon qu'on la cherche : en la cherchant, on trouve de fort beaux secrets qu'on ne cherchait pas. » (Fontenelle.)

Avez-vous respecté la limite des trois minutes ? Voici la solution. Comparez avec votre recherche...

« Il y a des envieux qui paraissent tellement accablés de votre bonheur qu'ils vous inspirent presque la velléité de les plaindre. » (Edmond et Jules de Goncourt.)

« La plupart des erreurs des hommes viennent bien plus de ce qu'ils raisonnent sur de faux principes, que non pas de ce qu'ils raisonnent mal suivant leurs principes. » (Pierre Nicole.)

« Le moins mauvais gouvernement est celui qui se montre le moins, que l'on sent le moins et que l'on paie le moins cher. » (Alfred de Vigny.)

« En général, il faut se redresser pour être grand : il n'y a qu'à rester comme on est pour être petit. » (Marivaux.)

« Nous sommes habitués à juger les autres d'après nous, et si nous les absolvons complaisamment de nos défauts, nous les condamnons sévèrement de ne pas avoir nos qualités. » (Honoré de Balzac.)

« Tous les gestes sont bons quand ils sont naturels. Ceux qu'on apprend sont toujours faux. » (Sacha Guitry.)

« On doit avoir pitié des uns et des autres ; mais on doit avoir pour les uns une pitié qui naît de tendresse et pour les autres une pitié qui naît de mépris. » (Blaise Pascal.)

« Il est vrai qu'on ne peut trouver la pierre philosophale, mais il est bon qu'on la cherche : en la cherchant, on trouve de fort beaux secrets qu'on ne cherch<u>ai</u>t pas. » (Fontenelle.)

Aviez-vous souligné les vingt-huit combinaisons, sans aucune exception ?
Un parcours sans faute, effectué en moins de trois minutes, est le signe d'un regard exercé et d'un esprit vif. Si votre parcours comporte des lacunes, c'est un signe important. Multipliez les exercices en faisant très attention à ne pas vous laisser distraire. Vous devez vous concentrer sur ce que vous faites. Vous pourriez, par exemple, vous livrer à ce type d'exercice avec votre journal, dans l'autobus.

► Solution du nombre perdu

12345 59876 987 128900 4848421
098182 31289543 098 7676781285
456 78931258 34512845 49 128 34
7812688 873212699 987128
3713858 100128 445528 3971289
79087 4654776 243555 12890
76128 23765 312893 34128939
67124 95412837 6597236 543 903
198 129 7741280 788632 328 6543
90756 56565 28 7899 123722 098
12845 9876128 5454124 89 23128
465129 356412897 45682 95874
85762 821 3457 57 23348098 897
8763 328 32218 387821736 43
82118 0987 453 1276 87987
1287438 345987 2345 124 47 68
234 435897 0987342 9876124
897641 12587 435 9087 2345 3456
983494 8972378 837298 12436 435
90872 23414 4598 217342 9845
98234 893127 2342 23556 987 9087
908721 12945 4231283 5634 80980

Quelques conseils en guise de conclusion

Voir pour retenir

Vous ne pouvez vous remémorer ce que vous n'avez jamais vu, et réellement vu, c'est-à-dire regardé, contemplé, observé, analysé, étudié...
Votre esprit doit toujours être en mouvement. Vous devez toujours être en état d'observation, tel un chasseur à l'affût. Vous savez que le bon conducteur est celui qui voit que le conducteur de la voiture verte discute avec son amie et tourne sans regarder, qu'un enfant joue au ballon sur le trottoir, que le conducteur de la voiture rouge commence à faire tourner ses roues alors qu'il n'a pas mis en route son clignotant..., et le reste. Votre vigilance ne doit jamais être prise en défaut.
Vous devez être attentif à ce qui se passe. Dès que quelque chose peut vous intéresser, vous

devez le capter, et tout de suite le classer en fonction de l'utilité qu'il pourra avoir plus tard.

Lisez avec un crayon

Vous devez toujours avoir à portée de main un crayon ou un stylo, même si vous lisez dans un autobus ou sur la plage. Un trait de crayon en marge vous permettra de retrouver ce passage intéressant, dans ce livre, quelques années plus tard, en moins de trois minutes. Un trait de crayon vous permettra, une fois à votre bureau, de n'avoir pas à relire tout l'article pour donner à votre collègue l'information qui est susceptible de l'intéresser. Vous pouvez aussi plier la page pour ne pas avoir à rechercher l'article ou le passage voulu.

Remettez en cause

Posez des questions. Posez sans cesse beaucoup de questions, aux autres, vous y avez déjà pensé, à vous même, vous n'y pensez pas suffisamment. Remettez en question vos habitudes. Cherchez à améliorer vos habitudes, vos procédés. Vous en tirerez beaucoup de plaisir.

Votre famille appréciera cet esprit alerte qui sait se remettre en cause, qui cherche à innover pour faire plaisir, sans omettre de se faire plaisir.

Sachez ce que vous cherchez

Lorsque vous ouvrez un livre, vous devez savoir ce qui peut s'y trouver et qui est susceptible de vous intéresser. Lorsque vous lisez un article, vous le faites parce que le titre vous a attiré. Vous y avez vu une promesse. C'est pour cette promesse précise, donc pour un objectif défini, que vous lisez cet article. Sachez reconnaître et retrouver très vite ce qui répond à votre attente. Vous devez littéralement le repérer, le cerner, le faire vôtre pour l'intégrer. Lorsque vous quittez l'article, faites mentalement une rapide synthèse. « Je voulais la réponse à telle question. J'ai remarqué tel élément qui, associé à ce que j'ai retenu par ailleurs, me permet de penser que… »
Agissez de même chaque fois que vous refermez un livre, même si vous êtes au milieu d'un chapitre. Lorsque vous reprendrez le livre, vous vous remémorerez cette synthèse et vous replongerez tout de suite dans le sujet.

Utilisez les mémoires annexes

À quoi cela vous sert-il de vouloir mémoriser à toute force le numéro de téléphone d'une relation que vous appelez une fois par an ? Utilisez un répertoire. Si vous voulez conserver un esprit alerte, n'encombrez pas votre mémoire avec des tas de scories inutiles. Votre mémoire n'est pas un perroquet sans esprit. C'est un ensemble de connaissances au service de votre cerveau. Nourrissez votre esprit d'informations pertinentes, de concepts bien structurés. Enrichissez votre vie de toute votre intelligence !

Table des matières

Première partie
Qu'est-ce que la mémoire ?

Un mécanisme 9
Une mémoire objective ? 11
Un circuit 13
Une bonne mémoire 14
De l'oubli 17
Différentes mémoires 17
En conclusion 18

Deuxième partie
Mesurez votre mémoire

Test A - Questionnaire général 23
Le questionnaire 25
Test B - Calcul mental 42
Test de calcul mental 42

Test C - Épreuve de restitution 45
Question n° 1 45
Question n° 2 46
Question n° 3 47
Question n° 4 48
Question n° 5 48
Question n° 6 49
Question n° 7 50
Test D - Questionnaire individuel 55

Troisième partie
Tests et jeux pour s'entraîner

Trouvez la clé 63
Test A 64
Test B 65
Test C 66
Test D 67
Test E 69
Test F 70
Le test d'Aline 78
Le test des listes 97
Le test des historiettes 104
Tests d'entraînement progressif 108
Test des mots enchaînés 108
Test des mots mixés 116

Le test de Muriel 120
Le jeu des codes 134
Les codes du jeu 135
Le jeu des formes 140
Le jeu des analogies 142
Le jeu des enchaînements 144
Jeu de sons 144
Jeu d'idées 145
Le jeu des sigles 146
Test de lecture 153
Le temps perdu 153
Test des figures 166
Premier test 166
Deuxième test 168
Le nombre perdu 172
Un autre exercice 174
Quelques conseils
en guise de conclusion 179
Voir pour retenir 179
Lisez avec un crayon 180
Remettez en cause 180
Sachez ce que vous cherchez 181
Utilisez les mémoires annexes 182

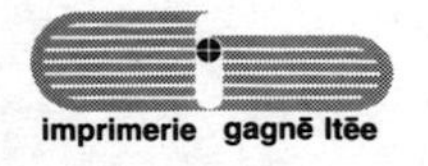
imprimerie gagnē ltēe